纽伯瑞国际大奖小说集

吹号手的诺言

The Trumpeter of Krakow

[美]埃里克·凯利/著　吴梦莉/译

山东科学技术出版社
·济南·

图书在版编目（CIP）数据

吹号手的诺言 / (美) 埃里克・凯利著；吴梦莉译.
-- 济南：山东科学技术出版社，2018.3（2024.5 重印）
（纽伯瑞国际大奖小说集）
ISBN 978-7-5331-9164-1

Ⅰ. ①吹… Ⅱ. ①埃… ②吴… Ⅲ. ①长篇小说 – 美国 – 现代 Ⅳ. ① I712.45

中国版本图书馆 CIP 数据核字 (2017) 第 300022 号

纽伯瑞国际大奖小说集
吹号手的诺言
NIUBORUI GUOJI DAJIANG XIAOSHUO JI
CHUIHAOSHOU DE NUOYAN

责任编辑：董小眉
装帧设计：艺唐广告

主管单位：山东出版传媒股份有限公司
出 版 者：山东科学技术出版社
地址：济南市市中区舜耕路 517 号
邮编：250003 电话：（0531）82098088
网址：www.lkj.com.cn
电子邮件：sdkj@sdcbcm.com
发 行 者：山东科学技术出版社
地址：济南市市中区舜耕路 517 号
邮编：250003 电话：（0531）82098067
印 刷 者：湖北鑫光印务股份有限公司
地址：湖北省云梦经济开发区三湖大道 13 号
邮编：430070 电话：（0712）4084888

规格：16 开（155 mm × 220 mm）
印张：10 字数：200 千
版次：2018 年 3 月第 1 版 印次：2024 年 5 月第 3 次印刷
定价：19.80 元

前 言

纽伯瑞儿童文学奖简称纽伯瑞奖，该奖项是由美国儿童图书馆服务协会 (Association for Library Service to Children ，ALSC) 为纪念英国儿童文学作家和出版家——纽伯瑞而设立的。

纽伯瑞出生于 1713 年，他出版了世界上第一本儿童书——《美丽小书》，开办了世界上第一家专门的儿童图书印刷厂、世界上第一家专门的儿童书店。他出版发行的儿童文学书籍深受孩子们的喜欢，他由此开辟出了一条英美儿童文学之路，因此后世称之为“儿童文学之父”。

以纽伯瑞命名的纽伯瑞奖，1922 年创办，每年评选和颁发一次，奖励前一个年度出版的优秀英语儿童文学作品，一直延续至今。纽伯瑞奖历史悠久，对美国乃至世界的儿童文学都影响深远。该奖项获奖要求之严格，获奖作品水准之高超，均是有目共睹、众所周知的。纽伯瑞奖获奖作品题材广博，不仅针对儿童的各种心理，诸如恐惧、忧愁、悲伤等做出开解，还蕴含了对全人类和大自然悲天悯人的关怀。因此历年来获得纽伯瑞奖的优秀作品，被每个美国家庭收藏，成为每个美国青少年的必读书目。

正因为纽伯瑞奖的权威性和经典性，我们特从获奖作品中选取了八本历年来畅销不衰、深受小读者们喜爱的作品，旨在帮助更多的青少年阅读到经典的优秀儿童文学作品，从中感悟到人性的光芒和力量。

该八本经典文学作品分别是《彩虹鸽》《牧牛小马斯摩奇》《胡桃木小姐》《草原上的小木屋》《吹号手的诺言》《杜立德医生航海记》《木头娃娃历险记》和《兔子坡》。

其中，《彩虹鸽》讲述了一只脖颈处有着彩虹一样绚丽颜色的鸽子充满传奇的一生，处处流露出作者对生命和大自然的关爱；《牧牛小马斯摩奇》则讲述了一匹名叫斯摩奇的野马跌宕起伏的一生，从性格开朗到暴虐，之后变得逆来顺受，最后再次被主人的关爱激活，重新找回快乐，该书悬念迭出的故事情节定会让青少年爱不释手；《杜立德医生航海记》讲述了精通动物语言的杜立德医生传奇的航海故事，该书想象力丰富，故事情节跌宕起伏，一直备受青少年喜爱……

该八本书每一本都精彩纷呈，不再一一赘述。期待小读者们能自己拿起这套书，亲自去发现里面的丰富和传奇；也盼望着这套书能成为小读者们人生路上的启发者，帮助小读者们拥有向上和向善的力量！

纽伯瑞国际大奖小说集

目录

“吾以身为波兰子民以及波兰皇仆的身份起誓，吾将竭尽所能，誓死效忠，每隔一小时便在刻有圣母玛利亚圣名的教堂高塔上奏响《海纳圣歌》，以示虔诚。”

引　子
休止符

1214 年春天，波兰人民听说了一则大消息：

东方的鞑靼人将再度入侵这片土地！

想起鞑靼人的残忍无情，男人们都瑟瑟发抖，女人们则惊恐地将孩子抱入怀里。

几周后，局势更加严峻，乌克兰首先被攻破的消息传遍了整个波兰，随后，基辅和利沃夫相继沦陷。

现在，野蛮的鞑靼人只需踏过几个宁静的村庄，便可抵达美丽的克拉克夫城。

鞑靼人就像野兽一样，所到之处人畜绝迹，庄稼颗粒无收。

他们身材矮小，皮肤黝黑，胡须浓密，头发编成小辫，耳朵或鼻子上缀着金环，将战利品载满马背。他们凶狠残暴，铁石心肠，每次出征，好几千米外便可听见震耳欲聋的马蹄声，威风极了，后面还跟着一长串押载奴隶、粮草以及战利品的马车。

在鞑靼军队的前方，有一大群背井离乡的平民，他们从破败的家里逃走，哭泣着和家园道别，在漫天的尘土中艰难逃亡。

在这群人中，有体弱的老人、哺乳的母亲、生病的妇人，以及因为所有心血化为乌有而悲痛欲绝的男人，孩子们则疲惫地跟在大人身旁，像小羊羔一样。

倘若老天有眼，便该叫那群鞑靼人也尝尝流离失所的苦痛。

克拉克夫城里的达官显贵们早已逃跑，因此，市郊茨维茨尼耶可修道院的修道士们出面，尽可能多地安置到此寻求庇护的难民，并着手准备防御工作。

难民们对此满怀感激，进城后便立刻向南方祈祷，那里有历任波兰国王和王公贵族们居住的宫殿——瓦威尔城堡，具有极其重要的战略地位。

为了避免无谓的牺牲，城外并未设防。

接下来的几天，城里的居民和来自全国各地的难民挤在一起，圣安德路教堂对面的海威堡旧城门也被封锁，民兵们在城墙上站岗。

为了保卫城市、保卫亲人，每个人都做好了牺牲的准备。

入夜后，鞑靼人开始了入侵。

他们烧毁了城外的村庄，劫掠了圣罗里安、圣约翰和圣十字郊区，然后向克拉克夫城发起了进攻。

一时间，城里充斥着各种声音：火焰舔舐建筑的噼啪声，敌人追赶猎物的叫骂声以及鞑靼人发现宝物的欢呼声。

天亮后，瓦威尔城堡上的民兵眺望发现，城中已经陷入一片火海，仅有三座教堂幸免于难。

它们分别是贸易市场旁的圣母玛利亚教堂、城门附近的有坚实炮楼的圣安德路教堂和位于市场内的圣爱德博特教堂。

坚守村庄的犹太人全部被残忍杀害，没来得及躲进教堂的难民也难逃一劫。

在这片废墟中，仅有一个年轻人活了下来。

他是圣母玛利亚教堂的吹号手，曾经宣誓每隔一小时要在教堂前的小阳台上吹响小号。

当第一缕阳光照耀在维斯图拉河上，水面荡漾着层层碎金，他登上阳台，准备吹奏向圣母玛利亚致敬的曲子，

《海纳圣歌》。

历史上，每位在这里工作的吹号手都要遵守誓约，每隔一小时吹奏一次《海纳圣歌》。

尽管前夜黑暗糟糕，但当阳光再次照耀之时，他仍然感受到一种重生的喜悦。

在他脚下，一群矮小的鞑靼人正凶恶地瞪视他。

街上的大火依旧没有扑灭，房屋喷出滚滚浓烟，无数的难民在大火中烧成焦炭，他独自和这群残暴的“屠夫”对峙，没有丝毫畏惧。

几天前，鞑靼人还未入侵这片土地，他本来有机会逃离至修道院，寻求庇护，可是为了遵守誓约，他坚守到了最后一刻。

眼下，即便想逃也来不及了。

他才十九岁出头，穿一件长款深色上衣，搭配及膝深色厚袜，外面裹一件齐腰短外套，扎一条皮带。

头上包着一块皮质头巾，垂至肩膀，只露出他的脸和几缕头发。

他想，至少我的母亲和妹妹是安全的。

她们已经离开十多天了，现在一定和莫拉威亚的亲戚们在一起。

一瞬间，他觉得生命是如此美好。

照在维斯图拉河上的阳光反射到瓦威尔大教堂的窗子上，修道士在金灿灿的光芒中做好了弥撒，卫兵们的铠甲熠熠生辉。城堡上方悬挂的白鹰旗随风飘扬。

波兰人素来英勇无畏，像他这样的年轻人随时准备和残暴的入侵者决一死战。

在这之前，他只听说过战争的残酷。

然而今天，他为了信守誓约，为了保卫教堂和祖国，不得不直面死亡的威胁。

“我必须信守诺言，对我而言，诺言和生命一样重要。”他平静地想到。

此时，他不觉得害怕，也不感到痛苦，因为他根本不考虑自己完成任务后的下场。

沙漏的沙子落下最后一粒，吹号的时间到了。

“此刻，我将为波兰，为圣母玛利亚吹奏《海纳圣歌》。”在庄严的宣告后，他将小号举到唇边。

乐音流畅柔和，很快，又变得高亢激昂。

他专注地吹奏着，心中充斥着近乎狂喜的感觉。他知道，纵使孤独死去，纵使日后人们嘲讽他的古板愚蠢，但是这份精神不灭，它会传给一代代的吹号手，成为他们的精神支柱。

这时，一位鞑靼士兵拉弓射箭，深色的箭矢破开长空，如猎鹰一般直直地扎进猎物的胸口。

乐声戛然而止，吹号手却仍未放开小号，而是用尽全力吹出最后一个音符。

这个音符如同他的生命一般响亮，在鞑靼人点燃的大火中，同年轻人的灵魂一起升入了天堂。

第一章
凶恶的骑兵

1461 年 7 月的下旬，炽热的阳光正照耀在古老的克拉克夫城以及进城的道路上，一辆辆运货马车正在路上颠簸前行。

这些马车大都十分简陋，只有一匹马拉着柳条或芦苇编织的车厢，看起来就像一个带车轮的大篮子。

由于路况复杂，马车常常需要压过石头、土坑，穿过田地，甚至趟过溪流，车厢不免摇摇晃晃。

车夫跟在马车一侧，时不时用长鞭抽打马背，好叫马儿精神起来，而车上坐着病恹恹的妇女儿童。

马车上的货品包罗万象。

有辆车载了一车的兽皮，另一辆装满花园用的泥土，还有一辆车装满了家禽。车夫的脖子上挂着一串串干蘑菇，就像项链一样。

马车后面，卡尔八纤山脉高低错落，云雾缭绕，维斯图拉河如银手镯一般环绕着瓦威尔山。空气里充满青草、泥土和粮食的香气。

集市已经开始。

从四面八方赶来的马车上坐着形形色色的人：来自大城市的时髦男女，穿着长外套的农民，戴着鲜艳头巾的农妇，以及穿黑袍、蓄鬓发的犹太人。

乡绅们纷纷派出侍从前来赶集，到处都是抱着婴孩的妇女与跟着马车到来的老人。早在三四十年前，他们就来这儿赶集了。

几乎每个人都带着一件防身利器，如短刀，木棍，或者藏在马车底座的大型斧头。

因为集市上小偷猖獗，曾经还有乡绅因为被偷了个精光而破产。

至于回城的路上，等人们把荷包装得鼓囊囊的时候，小偷便更多了。

在这些马车中，一辆空荡荡的马车便格外显眼。

它用两匹马拉着，车辕粗壮，驾车的男人约四十五岁，穿着考究，坐在他身边的妻子看上去比他年轻十来岁，他俩的儿子坐在马车尾部，晃荡着双腿。

“到了，老婆。”

那男人用长鞭抽打马匹说道，“那座高塔就是克拉克夫瓦威尔山的瞭望台，那两座尖塔就是圣母玛利亚教堂！如果我们再走快些，大概八点就能到那儿，结束这两周的奔波了。”

妻子将头巾扯下，激动地四处张望。

“太好了，我们终于到克拉克夫城了。这里是我母亲的故乡，她常向我提起这儿的光荣历史，我从来没想过能亲眼看到它。”

一家人各自陷入沉思。

男人想起他早年在克拉克夫城的情形，他的妻子则想着他们在乌克兰化为灰烬的家，而他们的儿子则在脑海中尽情描绘这座伟大城池的模样。

突然，一阵骚动打断了他们的思绪。

车夫们纷纷拉紧缰绳，为来人让出一条窄路。男人回过头，想看看究竟是谁硬要从这条窄道上挤过来。很快，他看到了一个骑矮种马的骑兵。

“快让开！你们这群卑贱的农夫，以为这路是你们的吗？”

骑兵愤怒地嚷嚷着，因为一位农夫的马突然冲到了路中间扬起前蹄，“快闪开，让我过去！谁要是再让马儿乱跳，那我就要给他几分颜色看看。”

“我都快退到沟里去了。”

一位农夫嘟哝道。

骑兵冷冷地扫了他一眼，在确认车里只有卖给砖厂的新鲜稻草后，便继续横冲直撞。

在经过那辆载着一家三口的马车时，他突然停了下来，因为一个男孩正好奇地看着他。

这个男孩叫作约瑟夫·察奈特斯基，今年十五岁，相貌中等，脸蛋圆圆的，有着深色的眼珠和头发。

他的衣服虽然蒙着一层灰，却可以看出材质是一种精细的手织棉布，做工也十分讲究。他头戴一顶圆形的无边小帽，穿一件钉有扣子的长外套，脚蹬一双柔软舒适的棕色皮靴。

“小鬼，叫你老爹把马牵好，你过来给我牵马。”

骑兵用嘶哑的声音命令道。

男孩听话地跳下马车，却在抓住缰绳的刹那，感觉到这位陌生人并不友善。

那时，黑暗残暴的混战时期刚刚结束不久，人与人交往时必须小心翼翼，以免被伤害。

在上流社会眼中，欺压贫困农民是再正常不过的事；

不过那些农民也不一定都是淳朴之辈，很多人为了金子铤而走险。

这位骑兵一副侍从的打扮，穿短短的厚外套，外罩一件铁环做成的轻薄盔甲，着一条皮质马裤，帽子上装饰的一串珠宝晃来晃去，像是玻璃材质的赝品。他的面相也很凶恶，皮肤黝黑，双眼细长，眉毛直直地贴在额头上，像只猴子。他的脸颊一侧有一个纽扣状的疤痕，耳朵生得又低又丑，嘴巴像是男孩们在南瓜灯上挖的裂缝，上面蓄着乱糟糟的胡子。

约瑟夫还注意到，他的腰间挂了一把弯弯的短剑，外套内侧露出一把匕首的刀柄，上面镶着宝石。

男孩一抓住缰绳，骑兵便跳下马，走到了马车前。约瑟夫的父亲从座位底下拿出一把十字柄短剑，制止了他的靠近。

“别靠过来！”

男人大吼一句，“虽然我不认识你，但我以天主教徒的名义起誓，一定会找出你的底细。”

陌生人看了一眼尚未出鞘的剑，对男人露出谄媚的笑容，并摘下帽子鞠了一躬。

“我猜您就是安德鲁·察奈特斯基。”

“是的，不过我更喜欢人们叫我安德鲁·察奈特斯基先生。”

骑兵又鞠了一躬：

“我叫斯特凡·奥斯特夫斯基，出生于海乌姆，现在基辅替政府办事。据说有一名莫斯科人同我们立陶宛省交好，我不方便透露他的身份……”

他突然打住，露出神秘的笑容，“在我回乡的途中，听说有一伙鞑靼人从克里米亚出发，一路向北烧杀抢掠，使安德鲁·察奈特斯基先生损失惨重，不得不带着妻儿到克拉克夫城投靠亲友。我探听到这一家的样貌，一路追踪过来，猜测您就是我要找的人。所以我斗胆过来，向您致以真挚的问候。”

安德鲁打量了一下对方的穿着举止，然后说道：

“你想说的恐怕不止这些吧？”

“是的。”

陌生人回答道，“不过剩下的得等我们到达克拉克夫城后，再关门详谈……”

安德鲁眯着眼，却依然无法看出对方的底细，心紧张得怦怦直跳。

他知道这个男人刚刚说的几乎都是假话，他的姓氏都是假的，虽然海乌姆那里有很多姓奥斯特夫斯基的，但是他一点也不像波兰人。而且，他最后说的话饱含威胁。也许从自己离开乌克兰边境开始，就被这个男人尾随了，好阻止自己进城。

“不管你听到什么，都和我无关。”

安德鲁甩了甩鞭子，“劳烦你回到自己的马背上好吗？我真的无法为你提供任何有价值的信息。”

此时，他们已经和前面的马车隔了很远的距离，身后的车夫们不耐烦地抱怨着，让他们别挡道。

可是骑兵拒绝了他的请求：

“除非我们一起进城密谈，否则你别想甩开我。过来，小鬼，把我的马拉到马车后头，我要跟你们一起走。”他对约瑟夫命令道。

安德鲁气得脸颊通红：

“你太嚣张了！有话快说，说了快走。”

陌生人没有半分要离开的意思，反而将马车里里外外打量了一遍。

忽然他看见驾驶座前的木板上搁着一个黄色的大南瓜。

“这个季节还有南瓜，我想这可能是草原上的稀罕货！这南瓜怎么卖？”他故意问道。

安德鲁干脆地拒绝了他：

“不卖！”

“不卖？”

“我说不卖就不卖。”

“如果我拿和南瓜等重的金子来买呢？”

“还是不卖。”

“你真的不卖？”

“我说一不二！”

陌生人猛地抽出剑，朝安德鲁劈去：

“看招！居然为了一个南瓜自讨苦吃！”

说时迟那时快，安德鲁迅速地跳离了座位，避开了陌生人劈来的剑，同时一手钳住对方的右手腕，使剑“哐当”一声落了下来，然后用左手抓住对方的小腿，狠狠地将他丢出了马车。

骑兵一头扎进泥土里，气得破口大骂。

约瑟夫却灵机一动，将陌生人的马掉头，狠狠地往马腹上抽了一鞭。

马儿受惊，扬起前蹄朝来时的方向跑了。

同时，男孩跳上马车，叫父亲赶紧上来，几声鞭响后，马车很快消失在路尽头。

陌生人站在路中间，不知该去追人，还是该去找马才好。安德鲁松了一口气，将骑兵方才掉在马车上的剑扔到路边。

很快，他们抵达了克兹米尔——一座由克兹米尔王建立的犹太城，已有一百多年的历史。

他们本打算经由维斯图拉河大桥到达目的地，却发现那座桥正在维修，他们不得不选择另一座北边的桥，等待城门口守卫的盘问。

第二章
勇斗大狼狗

“察奈特斯基，天主教徒，这个车里是我的老婆和孩子。”

安德鲁对守门人介绍道。

守门人身穿盔甲，手握战戟，在打量他们一番后，点头示意他们通过。

而另一位穿黑衣的守门人在检查他们空荡荡的车厢后，以为他们是进城买东西的乡下人，于是抽了几个铜板的税。

交完税后，察奈特斯基一家去往布匹交易中心，那是这座城市最繁华的地方。

在那里，马车排起了长队，商品摆了一地，不时有穿着闪亮护甲、马鞍上挂着长剑的骑士穿梭巡逻。

第一次来大城市的约瑟夫惊讶极了，甚至将领头的骑士误认为是克兹米尔王朝的第四代继承人——爱好和平的克兹米尔·亚盖沃国王。

“父亲，你快看他身上的盔甲，还有马鞍上的珠宝！天呐，那把剑一定是用金子做的，你瞧——”

他激动得脸颊通红，“鞍垫上还绣着银白色的波兰老鹰呢，上面有立陶宛的白色骑士！我想，他一定是国王陛下，对吗？”

安德鲁解释道：

“我亲爱的儿子，那只是守卫皇室城堡的卫兵。”

在他们周围，宏伟的宫殿、教堂和塔楼沐浴在和煦的阳光下，广场上耸立着朴实的雕刻。

一座白色教堂坐落于远处的瓦威尔山上，罗马式塔楼直指云霄。近处的两座塔楼则属于圣母玛利亚教堂，下面是一片满是白色墓碑的墓园。

布匹交易中心里挤满了各地的商人。

他们有的日夜兼程，只为在顾客掏空腰包之前赶到市场。中心外的广场则聚集了不少鞑靼人，他们来自遥远的东方，专门出售上好的刀剑、布匹和珠宝，这些不义之财多来自莫斯科、保加利亚或草原上的其他民族。

当太阳升起时，他们便会晨祷，吟唱声与教堂钟声、商人的叫卖声混在一起，很是热闹。

这座东西方文化交汇的大都市聚集了土耳其人、哥萨克人、日耳曼人、弗莱芒人和斯拉夫人，以及被贩卖的匈牙利人。

市场上流通的货币包括斯落第、盾、青铜币和银条宝石，还有各种可供交换的实物，如琥珀、椰枣及装在容器里的蔬菜。

正当约瑟夫沉浸在这热闹非凡的场景中时，一阵悠扬的乐音响起。

他抬起头，看见圣母玛利亚教堂的窗户里探出一只金色的小号，吹号手正站在较远的那座塔上吹奏。

那是一首在早晨吹奏的简短颂歌——《海纳圣歌》，据说是在天主教刚刚兴起时从南方传入的。

约瑟夫听得入迷，谁料曲子突兀地中止，未完的音符飘荡在空中，仿佛有人突然从吹号手唇边夺走了小号。

“为什么他不继续吹了？”

男孩惊讶极了。

父亲微微一笑，回答道：

“说来话长，我的孩子，等以后有时间了我会告诉你这个故事的。”

乐声再次响起。

这一次是从另一个窗口传出的，接着，从较远的一侧以及北侧靠近弗洛瑞安门的地方都传出号声。

吹号手总共吹了四遍《海纳圣歌》，全部都是以休止符结束。

“他吹得不怎么样。”

安德鲁挑剔道。

他一直热爱音乐，在大学时也学过铜管乐器，自然会对这样平庸的乐声感到不满。

约瑟夫没有理会父亲对于圣歌的评价，此时，他的注意力全被繁华的街景吸引过去了。

道路上站着一群衣着光鲜的商人，其考究的做工暗示了他们腰缠万贯；有男人穿着左右脚颜色不同的袜子行走，约瑟夫本来觉得这滑稽极了，可是当他看到更多的人做这幅打扮后，就忍住笑意，转而思考其中的含义了。

很快，他又对人们头顶各式各样的头巾产生了兴趣，人们帽子上的装饰物也很有趣，还有男人在自己的高帽上插了一只栩栩如生的假公鸡。商人们穿着奇长无比的靴子，看起来别扭极了。

中心周边有许多贩卖器皿的摊位，摊贩们正卖力地兜售自己的商品。

粮食商贩面前的袋子里装满五颜六色的谷粮，而一位扎头巾的妇女忙着将玉米卖给路过的流浪艺人。艺人身穿黄色长袍，腰间系一条亮黄色的衣带，一只手夹着苏格兰风笛，另一只手拿着装满玉米的小皮囊。

安德鲁一家的马车先后经过手套作坊、服装作坊、铸剑作坊、造桶作坊和马蹄铁作坊。

到处都是热热闹闹的，人们忙得不可开交。

几乎每个商贩都会在自家店铺前放一些别出心裁的标志，好与别家店铺区别开来。

比如说，一个帽商在招牌上画了一只白象，而另一个鞋商则在门口摆放了克兹米尔王的石像，以招揽顾客。

偶尔，约瑟夫会看见一只猴子。

这些来自东部或南部的小家伙们在这里过得很好，不是在摊子前自顾自地玩耍，便是系着细带，被贵妇或商人抱在怀里。

在这喧闹的集市中，犯人们正带着枷锁，被带往教堂做审判前的最后一次祷告。镣铐碰撞出声响，仿佛犯人在哭诉自己轻贱的命运。

之后，约瑟夫一家与一支朝圣队伍擦肩而过，男男女女都穿着自己最体面的衣服，一边唱圣歌一边前行，其中一个年轻人正背负沉重的十字架，履行自己的诺言。

离开市场后，马车朝着瓦威尔前进，又在离瓦威尔不远的地方掉头，向右驶去，最后在一幢大宅前停下。两扇铁门前都有卫兵把守，他们一见有人过来，便用长矛挡住入口，厉声喝道：

“什么人？有事吗？”

“我来找安德鲁·提幸斯基先生。”

听到这句话，卫兵扭头喊叫了一句，屋子里立刻冲出了五个全副武装的卫兵。

“围住他！”

为首的卫兵命令道。在安德鲁一家被团团包围后，他对身边的人吩咐：“你去房子里通知队长，就说一个乡下人要见安德鲁·提幸斯基先生。”

安德鲁察觉到情况不对，又惊又怒，高喊道：

“你们这是干什么！我是安德鲁·察奈特斯基，是提幸斯基的表亲，在乌克兰也是有身份的人！我提醒你们，对我客气一些，把你们的长官叫出来见我。”

卫兵们面面相觑。

提幸斯基先生的那件事已经闹得人尽皆知，为什么来人还这样嚣张？队长闻讯赶来，走到安德鲁面前：

“请问您有何贵干？”

这份礼貌短暂地平息了安德鲁的怒火，他回答道：

“年轻人，我刚刚已经和你的属下说过，我是安德鲁·察奈特斯基，来拜访我的表亲安德鲁·提幸斯基，我有要紧事同他商量。”

“您来迟了一步。”

队长说道，“提幸斯基先生已经去世了，他的家人也离开了这里，不知何时才会回来。我们是奉命来保护这里的财产不受到仇敌的破坏。”

“我的表弟去世了，怎么会这样？”

安德鲁悲伤极了。

“说来话长，贵族与手艺人的关系向来紧张，经过这件事后变得更加糟糕。提幸斯基先生对工匠为他打造的武器不满，不仅将人痛骂一顿，还拒绝支付工钱，这激起了所有工匠的怒火，他们联合起来，将他残忍杀害。他死后，他的家人害怕遭到报复，当夜便逃离了。我们的伊丽莎白皇后心地善良，见不得这些流血的纷争，便劝国王平息这场争端，我们这才被派来保护提幸斯基先生的房产。要知道，有许多人觊觎这座房子里的宝物，想要杀害看守的仆人。所以，我们刚刚只是例行盘查，还请您原谅我们的冒犯。”

听了这番话，安德鲁顿时觉得天旋地转。

“另外，请容许我给您一个小小的忠告。”

队长继续说道，“如果您真的是提幸斯基先生的表兄的话，最好尽快离开这里，或者隐姓埋名留在这里，还要改掉之前说话的口音，以免遭遇杀身之祸。”

安德鲁摇摇头，道：

“我接受你的忠告，但是我已经无处可去。有一伙劫匪毁掉了我在乌克兰的所有心血，他们肯定是被有权有势的人派来的，所以我才不得不带领家人来这里避难。而且，我有一项机密要向国王陛下禀报。”

“唉，我实在无能为力。”

队长继续说道，“国王陛下已经前往托伦调解北部争端，不知什么时候回来。如果您执意留下的话，请务必先安顿下来，慢慢等待。用不了多久，残害提幸斯基先生的暴民们都会被送上绞刑架的。”说完，他便回到了自己的岗位上。

安德鲁怔怔地站在原地，意识到自己陷入了绝境：能够庇护他的亲人去世了，国王也离开了，现在他和在乌克兰时一样可怜，随时可能丢掉自己的性命。而且，他带来的钱财也快花光了，在这危机四伏的大城市里，他连一个安全的庇护所都难以找到。

他失魂落魄地回到马车上，将噩耗告诉了自己的妻子。女人听得心惊胆战，但很快镇定下来，安抚道：

“我们再等等吧，上帝会保佑我们的。”

约瑟夫对父母的不安一无所知，满心想要跨出马车，好好看看这座城市。

他独自出发，在走到多明尼克教堂与万圣教堂的交叉口时，忽然看见一个鞑靼男孩正当街抽打一条乌克兰狼狗。那条狼狗戴一条金属项圈，因为被皮带系住，只能汪汪叫着，死命挣扎。

约瑟夫看得难过极了，不明白为什么会有人如此对待自己的狗。

这时，一个穿黑衣服的男人走来，身边跟着一个和约瑟夫年龄相仿的女孩儿。

那是多么漂亮的女孩儿啊！皮肤柔嫩白皙，眼睛湛蓝明亮，浅金色的头发比金子还耀眼。她穿一件刺绣精美的红斗篷，腰间束一条腰带，步态优美，好像是圣诞节的天使，又像是画在教堂彩色玻璃上的美人。

约瑟夫深深地为女孩儿着迷，再也想不起别的事。忽然，狼狗吃痛地叫唤一声，猛地扑向鞭打他的男孩，约瑟夫大叫一声，赶在狼狗跃起前扑了过去，但鞑靼男孩吓得丢掉鞭子，转身跑掉了。

狼狗发了疯似的再次跃起，眼看就要扑到路过的女孩身上，约瑟夫心急如焚，狠狠抓住了狼狗的项圈。

他在乌克兰时有过和狗打交道的经验，知道狗不会无故伤人，所以心里并不害怕。

狼狗却把他误认为伤害自己的那个鞑靼男孩，冲他撕咬起来。

一人一狗滚倒在地，伴随着女孩的惊叫声，约瑟夫和狂躁的狼狗抱作一团，试图使狗听懂自己的指令。最后，在一个恰当的时机，松开了项圈，让狼狗转身跑掉了。

第三章

好心的炼金术师

约瑟夫跌跌撞撞地站起来，男人和善地将手放到他的肩上，女孩则羞怯地吻了他的脸颊一下，当作感谢。

约瑟夫脸红了，他觉得自己当不得两人如此的感激。

“你真勇敢！”

女孩赞叹道，“你的身手也很敏捷，我希望自己有一天可以像你一样厉害。”

男人也极力称赞道：

“真是了不起！我从未见过这样迅速的反应。”

“这没有什么的，在乌克兰的时候，我与很多狗打过交道。”

约瑟夫局促地解释道，因为担心这句话被理解为夸耀，于是，他连忙补充道，“我们那里的男孩几乎都有这个本事。”

“乌克兰？”

男人吃了一惊，“那可是很远的地方，发生什么事了吗？不然你不会大老远来这里。”

“我家的房子被坏人放火烧了，父亲带我们来这里投靠亲戚，可是来这里后才知道，亲戚已经去世了，他的家人也全部逃走了，我们已经孤立无援了。”

“你的家人呢？”

“在市场里。”

“那你们接下来有什么计划吗？”

“我想，父亲大概会想办法找个地方住吧……”

约瑟夫对父亲的打算一无所知，语气便犹疑起来。他不知道应不应该对陌生人说这些，尤其女孩一直用温柔的目光注视着他。

男人很快猜测出了他们的处境。

约瑟夫的年龄虽然小，但举止投足却有贵族风范，谈吐清楚，可以看出接受过良好的教育，而且他的衣服虽然脏兮兮的，却可以看出精细的做工。这样的人流落至此，一定有什么难言之隐。

“谢谢你，你救了我的侄女，对我们有恩，如果可以的话，你可以到我们家坐坐，顺便说说你家的事，也许我可以……”

约瑟夫飞快地拒绝了：

“感谢你的好意，但是，我并不是为了回报才帮助你们的。”

“你误会我叔叔的意思了。”

女孩急忙解释道，“他的意思是，希望你赏光来我们家里坐坐，再和你家人汇合。”

约瑟夫依旧不肯去。

两个孩子相互说着客套话，直到最后，约瑟夫终于被说服，并按照家规亲吻了黑衣人的袖口。

“我跟你们去。”

一行人经过教堂，绕过几条巷子，最后走进在整个欧洲都赫赫有名的“鸽街”。

这里鱼龙混杂，聚集着包括学者、占星师、游医、传教士在内的各式各样的人。

街道尽头靠近城墙的地方曾是犹太难民居住的棚屋，现在成了小偷和杀人犯盘踞的窝点。

街头南面靠近克拉克夫大学，那里不仅居住着许多教授和学生，还吸引了一大批坑蒙拐骗的占星师，他们靠欺哄学生与商人为生，若是被惹急的话，连杀人的勾当都做得出来。

周围有许多像那男人一样穿长袍的人，只是颜色要鲜艳得多。

约瑟夫还注意到，在一栋房子的前面，有许多穿着朴素的人聚在一起，男人告诉他，他们正在讨论星空运行的问题。

最后，他们停在离街道很远的、正面砌着石头的房子前。

男人掏出一串黄铜钥匙，带他们穿过了狭窄的门廊，来到一处敞亮的庭院。

庭院中有一口井，左边有一座四层高的、摇摇欲坠的木楼，走动时楼梯嘎吱作响，这让约瑟夫有些害怕。之后，他跟着男人和女孩进入了三楼的房间。

房间有些拥挤，光线也不甚明亮，里面摆放着大木桌、橡木椅、衣橱和餐桌。

女孩飞快地打开窗户，又端了几块面包和几杯酒过来。约瑟夫本来推说自己不饿，但禁不住女孩的热情招待，还是大快朵颐起来。

“好吧，现在请你跟我们说一说你家里的事情吧。”男人道。

约瑟夫只得将之前的话重复了一遍，只强调自己和父母是早上才来到这里，目前正为落脚的地方发愁。

“也许我有办法。”

男人说完，便匆忙下楼了，只留下约瑟夫和女孩面面相觑。

女孩坐得更近了些，问道：

“你叫什么名字？”

“约瑟夫·察奈特斯基。”

“真是个好听的名字。”

女孩称赞道，“我叫爱尔兹彼嘉。”

约瑟夫笑了笑，继续讲自己的故事：

“我来自遥远的乌克兰，在那里，我们生活得很好，也不怕哥萨克人或者鞑靼人来找麻烦，因为父亲对他们都很友善。可是有一天，一个认识的鞑靼人告诉父亲，我们大难临头了，于是父亲和他在里屋密谈了很久，出来后却装作什么也没发生的样子，他是不想让我们担心。后来，又过了一段时间，母亲在窗外的茅草丛中看到了一张男人的脸，那是一个凶狠的、谁也不认识的男人，这下可把我母亲吓坏了，她吓得尖叫起来。”

“这太可怕了！”

女孩紧张地追问道，“后来呢？”

“当天夜里，父亲让我们穿好衣服，从屋后的小门逃走了——那扇小门之前一直用钉子封死着——门后面有一条地道，我们从里面爬出去，便看到备好的马车和两匹好马。原来父亲早就为逃亡做好了准备。”

约瑟夫提出一个令自己迷惑不解的地方：

“当我和母亲爬进载满干粮的马车后，父亲拿着耙子走到角落，掘出一大堆被树枝和树叶遮掩的蔬菜，我以为他会把这些搬上车，可他只选了一样。”

“是什么？”

“一个南瓜。”

“南瓜？”

“是的，我也想不明白。一路上，所有的干粮都吃完了，但是我父亲却坚决不肯动这个南瓜。今天早上，一个奇怪的男人还要求用和南瓜等重的金子来买下它，我父亲也拒绝了。”

“那你们知道你母亲看见的那个人是谁吗？”

“不知道，不过，后面发生的事证明父亲的决策是对的。一个邻居告诉我们，在我们逃走的第二天，便有人放火烧了我们的房子，不仅如此，他们还将我们的田地翻得乱七八糟，好像在找什么宝藏。”

“那个南瓜现在还在你父亲那吗？”

“还在，不过我想不到它会有什么作用。好了，现在该你说说你的事了，那个人是你的叔叔吗？”

“是的，他是我父亲的兄弟，叫尼古拉斯·科鲁兹。我小时候家乡爆发过一场瘟疫，父母都在那场灾难中去世了，是叔叔养大了我。我的叔叔是一个非常了不起的大学学者，我可以向你保证，那些研究炼金术的人，他们一个也比不过叔叔！”

她正说着，这位伟大的炼金术师便出现在门口。他对约瑟夫说道：

“我刚刚打听到，这栋房子有一层恰好空出来了，房租也很便宜，你的父亲可以把马匹卖掉，先搬到这里来住，就是太简陋了些……”

“才不会呢。”约瑟夫的脸涨得通红，说，“我们已经在路上奔波劳累十多天了，正是精疲力尽的时候，我保证，父亲一定会很高兴有地方可以安顿下来的。我实在是太感谢您的好意了，恨不能马上就告诉父亲这个好消息。您能确定这个消息吗？”

女孩儿开心地笑起来：

“叔叔说得一定是真的，你快去告诉你父亲吧，把他们带到这来。说真的，我还不知道母爱是什么滋味呢，真希望你的母亲可以喜欢我……”

“她一定会喜欢你的！”

约瑟夫激动地跳起来，“科鲁兹先生，劳烦你将底下的门打开，我这就去找父亲他们。”

他飞奔出去，绕过曲折的街道，找到父亲停放马车的小教堂。当他看见坐在马车上的父母被一群恶棍围住时，立刻像离弦的箭一般冲了过去。

为首的是今天早上为难过他们的陌生人，他手上拿着一根粗壮的木棍，其他的恶棍也抓着木棍或石头，气势汹汹地叫喊着。

安德鲁将妻子护在身后，以免她被石块砸伤。约瑟夫钻过人群，跑到父母身边。

“哈，现在我们连小鬼也抓到了！”

陌生人嚷嚷着，“这一家子都是邪恶的巫师，今天这个小鬼还打坏了我的马。”

“巫师！巫师！”

人群高喊着，还有人趁机砸了石块过来，险些打破安德鲁的头。

“这个男人十恶不赦。”

陌生人继续编造道，“他杀害了我的哥哥，还将他的头颅砍下来，变成一个南瓜。快点把那个南瓜交出来，我好按照教会的指示埋葬我的哥哥，否则的话，我便要向你复仇。杀了这个受唾弃的巫师！杀了他！他把我哥哥的头颅变成了南瓜！”

在那个时代，人们对巫师深恶痛绝。

不管是多么善良的人，只要被冠上这个称呼，等待他的便是残忍的酷刑和人们的唾弃。为了报复安德鲁一家，夺走那个南瓜，陌生人不惜使用这种卑劣的手段，来置他们于死地。

眼看着更多的人围过来，陌生人更加得意地喊叫道：“他把我哥哥的头变成了南瓜！”

可是安德鲁并没有被吓住，他拿起长剑，誓死守卫南瓜的安全。

那群恶棍大多是胆小如鼠的家伙，只会虚张声势，根本不敢靠近马车。

只有几个恶棍偷偷绕到了后面，同时，前面的人咆哮着，假装出要进攻的样子。

就在这时，一个身穿棕色长袍的男人冲了过来，制止了人们的暴行。

“住手！这是怎么回事？”

“这一家子都是邪恶的巫师，我们正在惩罚他们！”一个恶棍嚷嚷道。

“一派胡言！”

男人面容威仪，怒气冲冲地看向人群，“哪里有什么

巫师，不过是人们滥用私刑的借口罢了。你们竟然公然欺负一个老实人、孱弱的妇女和年幼的孩子，我真替你们感到羞愧。你们还不赶快散去？否则我便去喊卫兵来了。”

一个恶棍忽然大喊出声：

“他是杨·苷地啊！”

人群一下子骚动起来，人们交头接耳，小声讨论着大好人杨·苷地的事迹。

恶棍们大惊失色，全都落荒而逃了。

第四章 伸出援手的修士

杨·苜地是当地一位赫赫有名的修士。

他博学、慈爱，对人友善，过着高尚而圣洁的生活，不管是农民还是贵族，都对他尊敬有加。

他痛恨一切恃强凌弱的行径，所以，在看到安德鲁一家的遭遇时，他便毫不犹豫地站了出来。

“愿上帝保佑你们。”

他用手指在胸口画了一个十字架，问道，“你们是从哪里来的？为什么会惹上这样的祸事？”

“我们来自乌克兰，到这里来投奔亲戚。可是来了后才知道他已经去世了，而我在乌克兰的房产也被坏人洗劫一空，那些人甚至追杀了我们一路，为了夺走我仅剩的财产。”

安德鲁指了指马车上的南瓜。

“那些人为什么指控你们是巫师？”

“那只是煽动人心的诡计罢了。闹事的那个人从乌克兰跟了我们一路，就为了夺走我手上的南瓜，我敢肯定，他背后一定是有人在指使。话说回来，好心人，您是一位修士吗？”

“那是旁人的称呼，其实我只是天父的仆人。”

“好心的修士，请您帮助我们！我们绝对没有加害过任何人，反而吃了不少苦头。眼下实在走投无路，我恳请您帮我们找一个地方歇一宿。”

“我诚邀你们到寒舍做客，不远，就离这儿只有一条街的距离。”

安德鲁大喜过望，赶紧调整马车。

忽然，约瑟夫扯了扯他的袖子，说：

“父亲，我找到了一个可以落脚的地方。”

“什么？”

“有一位大炼金术师带着侄女住在那里，他说他们二楼的房间空出来了。”

“我们先回到住处再商量吧，这里可不是一个谈话的好地方。”

几分钟之后，他们跟着杨·苷地停在一栋宏伟的大楼前。

周围人来人往，每个人都对杨·苷地很恭敬，甚至有一队骑士专门拔剑向他致意。

在他们进屋后，安德鲁便请求和杨·苷地密谈，约瑟夫和母亲则一起在走廊上吃点心充饥。

约瑟夫告诉了母亲自己今天早上的奇遇，女人惊讶极了：

“这可真是一个好机会，等你父亲出来，我们便一起去那个住处吧……我想见见那个可怜的小姑娘。”

屋子的另一头，杨·苷地听完父亲的故事后，思考了片刻，提出了建议：

“既然城里有你的敌人，我认为，那你不妨隐姓埋名一段时间。这不是什么值得羞愧的事情，只是为了暂时避难。而且，你目前需要卖掉马和马车来换取生活费，它们现在应该可以卖个好价钱，如果你愿意，我也可以帮你找人卖出去。”

安德鲁依然忧心忡忡：

“可这也不是长久之计，我必须找到工作。”

“我也这样想，也许我可以给你介绍一份工作，只是那差事卑微了些。”

“这是哪里的话？”

安德鲁连忙说，“只要能养活我的家人，我什么都愿意做。”

“那就好办了，你以前打过猎吗？”

“是的，但是这和工作有什么关系吗？”安德鲁疑惑不解。

“那你会吹小号吧？”

“我吹得相当好呢。”

“太好了。”

杨·苷地继续说道，“不过，你刚刚告诉我的事情只能让国王一个人知道，你手上的那件宝物也必须交还给他，那可是国宝啊！你都不知道有多少纷争是因它而起，我只是希望不要有更多流血事件发生了。你是否需要我帮你保管它呢？”

“感谢您的好意，但我向我的父亲发过誓，一定要将它亲手交给国王。”

“愿上帝保佑你！”

杨·苷地笑道，“现在叫你的家人进来吧，听听你儿子今天的经历，我们好从长计议。”

约瑟夫和母亲一起走进来，将事情的经过讲了一遍。

听完后，杨·苷地沉思了一会儿，说：

“我之前听说过那个学者，说他的性情古怪，只痴迷于学术，并且人们对那条街上的人敬而远之。在这个情形下，那里的确很适合做暂时的藏身之地。”

约瑟夫的母亲对杨·苷地感激涕零，安德鲁的眼眶也不由得湿润起来。

人与人之间的善意是多么伟大啊，他们被修士的高尚品性所打动。

没一会儿，一位仆役便过来将马和马车牵到市场上去卖，安德鲁他们坐在杨·苷地的家里，等待对方回来。

在这期间，一位怀抱婴儿的妇女前来拜访。

她来自犹太人群居的黑村，请求杨·苷地帮自己祛除身上的病痛。

杨·苷地查看了她肿胀的关节，询问道：“你晚上都睡在哪？”

“地板上，哎哟，”妇人轻声呻吟着，“痛死我了。”

“石地板吗？”

“是的。”

“地板是干燥的吗？”

“大部分时候是的，只有春天的时候潮湿些。”

“地板下面有水吗？”

“也许有吧。”

妇人回答道，“那附近有一口井，井水常常会自己漫出来。”

“可怜的孩子，愿上帝赐福你。听着，在那口井和你的房子之间砌一道防水的矮墙，修一条排水渠，勤晒被子，勤换衣服，你会慢慢好起来的。”

妇人感激地离开了。

过了一会儿，一位农夫前来求助，他的庄稼快被害虫吃光了。

“请您帮帮我，大好人，让那些虫子都消失吧。”

杨·苷地轻声告诉他：

“要驱虫的话，你可以将草木灰撒在地里，或者在清晨的时候，往庄稼上浇水，把虫子引到水里，然后除掉它们。”

农夫欢天喜地地离开了。

之后，杨·苷地走到书桌前，开始奋笔疾书起来。约瑟夫则躺在了窗户下面的长椅上，辛苦了好多天，终于可以踏实睡一会儿了，他慢慢地进入了梦乡。

梦里，他身穿盔甲，和一个长着南瓜头的鞑靼人战斗，之后，鞑靼人躲进飘在星空中的房子里，出来后变成了狗头。南瓜在他周围飘来飘去，好像羽毛一般，屋子里发出奇异的光……

等他醒来时，天已经黑了。

父母和杨·苷地在桌边忙碌着，他定睛一看，发现父亲竟然在用刀削一个南瓜。那南瓜可真结实，刀切在上面就好像削木棒一样艰难，好半天才有一块南瓜皮落下。

“那伙人就是冲着这个东西来的，我肯定，那个跟踪我们的陌生人知道南瓜的奥秘。他对我的财产有多少心知肚明，再一看到南瓜便对上号了，而我之所以没有把它藏起来，就是怕别人起疑心。”

“恕我直言，现在并不是产南瓜的季节，任何人看到这样好的南瓜都会起疑心的。”

杨·苷地说道。

“的确如此，可我别无他法。我必须掩人耳目，好不容易才找到这样一个南瓜，刚好能装下它。”

最后一块南瓜皮落下，一刹那，屋子忽然亮堂起来，光芒四散，彩虹般的色彩投射到墙上。

在安德鲁小心地将宝贝放入杨·苷地准备的口袋后，屋里的光线才重新暗下来，约瑟夫赶忙跑过去，想要一探究竟。

“父亲，你刚刚从南瓜里拿出的东西是什么啊？”他好奇地问道。

“约瑟夫，我现在还不能告诉你。你要知道，知道的越多，责任就越大，往后我们还会面对更多磨难，如果你那时候仍想知道，我会告诉你的。现在你的年龄太小，我不忍心让你背负这样大的使命。”

说完后，安德鲁提起了另一个话题：

“现在我们动身去你找的那个地方吧，你的朋友已经将房间收拾出来了，我们可以暂时住在那里。”

第五章
父亲当上吹号手

当他们从屋里出来时，街上已经一片漆黑。

天上没有月亮，星光也很微弱，杨·苔地提着烛灯走在前面，约瑟夫走在父母中间，忽然碰到一个湿漉漉热乎乎的东西，将他吓了一跳。很快，他便发现这只是一条流浪狗的鼻子罢了。

毛茸茸的大脑袋在他身上蹭来蹭去，他往下摸到了熟悉的项圈，认出这就是今天差点袭击女孩的狼狗。

他欢快地叫嚷起来：

“父亲，父亲！这里有一条友善的狗。”

狗是聪明的动物，它在早上逃跑后，没有回到虐待他的鞑靼男孩身边，反而开始寻找约瑟夫——它相信抓住自己项圈的那个男孩绝对不是坏人——它花了一整天在街上游荡，终于在夜里找到了约瑟夫。

“那就带上它吧。”

安德鲁回答道，“我们现在还真是需要这种忠实的朋友哩。”

他们又走了一阵，在抵达“鸽街”后不久，忽然听见一阵嘈杂声，他们立刻停止了脚步。

“你们在这里等着，我去看看前面发生了什么事。”

杨·苷地说完，便将烛灯举高了些，挤到了那群黑衣人之中。

“你们在做什么？”

杨·苷地喝问道。

他一走近，人群便敬畏地为他让出了通道，方便他查看其中的情形。

两个大学生模样的年轻人面对面站着，衣袍散开，手握长剑。

很显然，在杨·苷地到来之前，他们已经打斗过一番。

“学校严禁学生打斗，轻则罚款，重则关禁闭，难道你们连这点都不清楚吗？”

他严厉地质问道。两人都没有穿护具，又手持利剑，稍有不慎，便有可能被割伤，甚至丢掉性命。

“你们俩叫什么名字?”

杨·苔地继续问道，在烛灯照亮一个学生的面容后，他大惊失色，“约翰·特灵！你怎么会碰这种利器？另一个人呢，你叫什么名字?”

“康娜德·马林纳齐，来自马佐为亚。”

那人面带愧色，小心地将剑收了起来。

“我知道马佐为亚人近来接受了很多羞辱，这场决斗一定事出有因，你们现在赶紧回到房间去，明早再来找我坦白。”

话一说完，围观的学生们便散去，只留下修士和约翰·特灵。

“约翰·特灵，你难道不为自己的行为感到羞愧吗?”杨·苔地大声责问道。

“一点也不。”

他长相普通，面相刻薄，尤其是他的眼神，常透着一股自命不凡的劲儿，令人不快。

约瑟夫跟着父母一起走近，恰好听见杨·苔地大声质问道：“你们为什么决斗?”

“他羞辱我。”

“他如何羞辱你?”

“从各个方面，最过分地是他羞辱我的研究，问我是否可以从铁、黄铜、皮革中炼出黄金来，若是可以的话，他便将整个城市的破靴子给找来。”

“你没有反驳他吗？”

年轻人不屑地扬起嘴角：

“我只问他马佐为亚的青蛙是不是都会说马佐为亚语。”

“我就知道！”

杨·苷地生气地说道，“为什么你们总爱激怒别人？要知道，你的剑术再好也比不过马佐为亚人，很可能还没有说完话便身首异处。”

约翰不忿地辩解道：

“他对我的羞辱远不止这些！”后面的话是用德语说的，约瑟夫完全听不明白。

“听着，既然这件事是你挑起来的，那么你就得在明天去找他道歉。”

修士语重心长地说道，“约翰·特灵，械斗只会让你名誉扫地，而且你最好少跟巫师、占星师一类的人亲近，多花些时间向科鲁兹这样的大学者学习。”

年轻人虽然有些不服气，但还是答应了修士。杨·苷地继续问道：

“你现在还住在科鲁兹那儿吗？”

“是的。”

“那就跟我们一起走吧，这一家是科鲁兹的新房客。”

一行人走到科鲁兹的房子前，敲了敲门。

一个驼背的老妇人举着灯过来，在仔细打量之后，才放他们进来。

“明天我派人来通知你去工作，并交代一些注意事项。现在你先安置吧，安德鲁·科瓦斯基，”杨·苷地想了一下，说出了这个化名，“愿上帝赐福于你。”

“愿上帝赐福于你。”

安德鲁一家对修士感激至极，在他离开后，他们才和约翰·特灵一起进屋。

老妇人谨慎地将门锁好。

一行人穿过长廊来到庭院，约翰走进了庭院右边的房间。老妇人带领安德鲁一家走上左侧的楼梯，破旧的楼梯似乎不堪重负，摇晃得厉害，安德鲁一家吓得紧紧地抓住了扶手。

爱尔兹彼嘉在二楼举着蜡烛迎接他们。安德鲁接过蜡烛，仔细打量了自己的新家。

一共有两个房间，大房间装修精致，可以充当夫妇的卧室和起居室，小房间则可以给约瑟夫作卧室。家具已经置办好，整个屋子看起来井井有条。

安德鲁对老妇人自称为安德鲁·科瓦斯基，在这里这个姓氏很普通，不容易引起怀疑。

虽然炼金术师和他的侄女知道他的真名，但他们保证会守口如瓶。

在老妇人离开后，安德鲁关上门窗，将装着宝贝的圆形包裹放到桌上，感叹道：

“这里比我想象中的还要好，而且也很安全。门是实木的，墙是石头砌成的，每天晚上老婆婆和他的儿子轮流守夜，附近住的都是学生和学者，外人很难接近这里。那些坏人一定想不到我们躲在这里，我们可以安心地等国王陛下回来。”

话音刚落，门口便传来怪声，好像有人在撞门。

约瑟夫的母亲吓得尖叫起来，安德鲁也警惕地抓起了短剑，只有约瑟夫在大笑，说：

“是我的狗在抓门呢，它一定是在要水喝。我去院子里给它打些井水上来，今晚让它睡在屋檐下。不过它的性子很野，明天我得再找条绳子把它拴起来。”

他在篮子里找了些面包和肉干，和母亲一起出门安置狗了。

等他们回来时，父亲已经铺好了床，装宝贝的圆包裹也被藏了起来。

大家忙了一整天，又困又累，很快便睡着了。

第二天清早，母亲便起床擦拭家具，父亲则忙着修整桌椅、墙壁和摇摇欲坠的楼梯。

约瑟夫在吃过早饭后，就一个人跑出去遛狗，他给狗取名为沃芙。

晚上的鸽街看起来阴森诡异，但是在白天，它也不过是一条普通的街道，上面的房子东倒西歪，圆窗户像是小精灵的眼睛。

一楼和二楼的窗户大都装了粗栏杆，窗子外面挂着各式各样的衣袍。

约瑟夫被这些新奇的景象吸引，逛了好久后才恋恋不舍地回家。

家中来了一位穿着皮衣的陌生人，正在和父亲交谈。约瑟夫还注意到桌子上多了一支精巧的铜管小号和两卷羊皮纸手抄本，一卷密密麻麻全是字，另一卷上记录着一连串的音符。

“这一卷是你要发誓遵守的誓约。”

他指着全是字的羊皮纸，说道，“另一卷是《海纳圣歌》的乐谱。每天夜里，你要站在教堂高塔上每隔一小时吹奏一次乐曲，和你交班的吹号手会在今晚将值班室的钥匙给你。这是一份十分神圣的工作，真高兴杨·苷地推荐了你这样优秀的波兰人过来。”

说完话，他便行礼离开了。

约瑟夫听得一头雾水。

“这是我之后的工作内容。”

父亲向妻儿解释道，“我已经立下在圣母玛利亚教堂的吹号手必须遵守的誓约，每隔一小时便在教堂高塔上吹响这首圣歌。约瑟夫，至于圣歌以休止符结尾的缘故，我之后再告诉你。”

“你要当吹号手吗？”

“是的，感谢大好人杨·苷地，他帮我同时找到了吹号手和守夜人的工作。在我前面的那个吹号手一周前去世了——愿他安息——接替他的人吹得不太好，所以他们找到了我，如果在高塔上看到哪里起火了，我还要及时撞钟警告市民。现在我身为安德鲁·科瓦斯基，要安心做好克拉克夫城的市民。”

“这么说你整晚都得待在那里了？”

“是的，为了安全起见，我会在天黑后出门。至于你，修士已经安排你去克拉克夫大学的附属中学，你在那里要小心，不要告诉任何人我们的来历，好好做你的约瑟夫·科瓦斯基。”

安德鲁刚说完话，爱尔兹彼嘉便从楼上飞奔下来，扑到他妻子的怀里。

“我听叔叔说了，从前我在夜里听到号声总是会害怕，现在知道吹号的是约瑟夫的父亲，我再也不会害怕了。”

“我们会生活得很好的。”

女人怜爱地说，“好孩子，你就把我当作你的母亲吧。”安德鲁也很喜欢这个善良的小女孩，他将两个孩子搂入怀中，高兴地说：“太好了，现在我有两个孩子了！”

第六章
吹号手的工作

圣母玛利亚教堂是由红色的砖石砌成的，坚实气派，虽然不够精致，却可以抵抗海上的强劲风暴。

除此以外，它的内部装饰一直为人们津津乐道，优雅精致，就像是包裹在石块里的璀璨水晶。

搬家后的第一个晚上，约瑟夫便跟着父亲一起去了圣母玛利亚教堂。

守门人仔细核实了两人的身份后，才将通往塔楼的小门打开。

他们爬上逼仄的长梯，在抵达一处平台时，忽然听见头顶传来喊叫声：

“请等一下！”

那是准备和安德鲁交接工作的吹号手，他走下来，对安德鲁的到来表示了欢迎。

然后，他交代了吹号手在值班室的工作内容，将提灯和钥匙交给安德鲁后，便离开了。与此同时，父子俩继续沿着台架往上爬，阶梯狭窄陡峭，却十分坚固，走动时不会发出“嘎吱”声。

他们爬了很久，终于抵达了吹号手的房间。房间呈八角形，平台上有瞭望用的窗户，窗户附近挂着小号、连接教堂大钟的绳索和示警用的红旗及塔灯。

当吹号手发现火情时，便要在火灾发生的方向挂上红旗，如果是在夜里的话，则用塔灯代替；如果发现城里出现了暴乱，吹号手必须及时敲响警钟，提醒人们注意生命财产安全。

安德鲁用钥匙打开门，进入室内。

狭小的房间里放着一张床、一张桌子和一个小炉子，墙上挂着烛灯。桌子旁边放置了三把椅子，桌上放着一个巨大的、标有十二小时刻度的沙漏，专门用来提醒吹号手时间的。

教堂中殿朝南，阳光充足，在这里放置了一个巨大的日晷。

塔楼北边的墙上挂着只有一根时针的时钟。当沙漏显示十点时，安德鲁赶紧到平台上拉绳敲钟，“当当当”地敲了十下。

然后，他便到正对布匹交易中心的窗前吹奏小号，吹完后，又依次来到朝南、朝东和朝北的窗前吹奏。深蓝色的夜空里点缀着几颗星星，空气里弥漫着干草的香气，整个城市都沉醉在圣歌的旋律中。

“这曲子真好听。”约瑟夫赞叹道。

“是啊。”

安德鲁告诉了约瑟夫那个很早以前发生的故事，年轻的吹号手为了遵守誓约，直到生命的最后一刻才停止吹奏圣歌。

为了纪念他的伟大精神，吹号手们便以休止符作为《海纳圣歌》的结尾。

约瑟夫深受感动，心底升起一股对祖国和民族英雄的敬爱之情。

父亲将他带回塔楼，继续说道：

“我之所以带你到这来，就是为了让你知道那个誓约有多么神圣。因为号声必须每隔一小时响起，而我，有可能会生病或是受伤，所以，我需要你也来学习这些音符，到时候可以来代替我。”

他一边说，一边用炭笔在羊皮纸上画出音符。

“这是圣歌的乐谱，这个星期你好好练习它，争取下个星期可以默写出来。不过不要耽误你在学校的功课，记好乐谱后，我再教你怎么用小号吹奏。过段时间，我再教你单舌、双舌和三舌，这些都是吹奏小号的基本技巧，你慢慢练习就好。”

约瑟夫点点头，将羊皮纸小心地收好。

“快回去吧。”

安德鲁催促道，“下楼后将烛灯吹灭，挂到墙上。你母亲一个人在家一定很寂寞。”

“才不会呢，您就别操心了，我想爱尔兹彼嘉会陪着她的。”

“是的，她是个好孩子。你快些回家去，路上注意安全，最好跟在巡夜人的身边。”

约瑟夫点点头，下楼后将灯挂好，等守门人将他放出去后，便一阵风地跑回了家。

令他吃惊的是，这次开门的不是那个慈祥的老婆婆，而是老婆婆的儿子。

那男人的脸在提灯后影影绰绰，着实将约瑟夫吓了一大跳。

他之前听父亲提起过老婆婆有个儿子，不过却万万没想到对方会是一个可怕的中年男人：身形瘦长，脊背佝偻，几缕长发贴在眼眶附近，双颊凹陷，提灯的手指如鸡爪一般，整个身体像猫一样紧贴着墙壁，好像在担心来自后方的袭击。

约瑟夫低头绕过他，刚走上楼梯，便感觉肩膀上搭了一只手，细长的指甲在外套上发出刺耳的刺啦声。他顿时毛骨悚然。

“你要做什么?”

“铜板……给我几块铜板。”

约瑟夫赶紧丢了一块铜板出去。

“好孩子。”

那男人发出了一阵古怪的笑声，接着说道：“等你有出息了，可别忘了我史塔司，我就睡在这里。”他指着一扇敞开的房门。

但是约瑟夫的注意力全被四楼小阁楼的火光吸引过去了，小小的火舌从紧闭的窗缝中蹿出，一下子照亮了整个庭院，然后倏地熄灭。

“哈，看呐，他们又在使用摄魂术了!”

窗口又蹿出一道火舌，比之前那道更明亮、更持久。男人将灯贴到约瑟夫脸上，小声道：

“恶魔带着火从地狱来到人间，那个炼金术师科鲁兹就是恶魔的仆从……我们中间还有一个恶魔的帮凶，你知道是谁吗？我告诉你，是约翰·特灵！他将灵魂卖给了魔鬼，我曾经听见他一个人在屋里喊叫、唱歌，手舞足蹈的，他就是这里的煞星……哎呀，天很晚了，我该睡觉了，晚安，好孩子。”

说完，他便回到了自己的房间里。

第七章
阁楼上的秘密

当天晚上，约瑟夫又困又累，还要为第二天去学校做准备，实在无暇细想阁楼上的火光和史塔司古怪的嘟囔。等过了一星期后，他才突然想起那晚的怪事，一个人在夜幕下陷入了沉思。

他想，难道父亲从乌克兰带来的那件宝贝真的那么重要吗？

为什么它能让杨·苷地那样的修士都惊叹不已？

为什么那个陌生人不惜污蔑自己一家是巫师也要得到它？

为什么他们一家三口不得不隐姓埋名住在这里，只能在夜里出来活动？

夜空中繁星点点，沃芙在庭院里睡觉，还会时不时呜咽一声，自己家的窗户中透出了一丝微弱的烛光，约瑟夫知道，母亲还在等他回家，也许爱尔兹彼嘉也陪着她。

他往前走了两步，忽然看见四楼的阁楼又冒出了火光，紧接着，一声惨叫传来，不知是因为疼痛还是恐惧。

一个白色身影从三楼的房间跑出来，走近后，约瑟夫才认出那是穿着睡衣、披着白床单的爱尔兹彼嘉。

“爱尔兹彼嘉。”

他轻声喊道，“发生什么事了？”

“是我叔叔！”

显然，爱尔兹彼嘉吓坏了，她叫道，“我不知道他们在做什么。”

“你没有和我的母亲在一起吗？”

“本来是的，但是后来我太困了，你母亲就让我先回去休息。我睡了一会儿，就被巨大的喧哗声惊醒了。”

爱尔兹彼嘉满脸惊慌，“那是我叔叔，约瑟夫，我知道他们在阁楼上做些古怪的事。那个叫特灵的大学生总在傍晚来找叔叔，然后一直待到很晚。叔叔从前总是陪我，很少去阁楼。”

“你别怕，我会陪着你的。”

约瑟夫安慰道。

爱尔兹彼嘉摇摇头，继续说道：

“我害怕那个叫特灵的大学生，他一定会巫术，自从他来了之后，叔叔就像变了个人似的。”

“你听到什么了吗？”

“我被阁楼上的跺脚声吵醒，之后，我听见叔叔说‘不行，这样会出人命的’，然后，那个学生就古怪地笑了起来。等我差点又睡着时，突然听到一个令人毛骨悚然的声音，那听起来像我叔叔，可是那语调却完全变成了另一个人，紧接着有火光冒出……约瑟夫，我求求你，请你爬上梯子去阁楼瞧瞧，小心不要被他们发现，我想确认叔叔是否平安无事。”

“你放心，我一定帮你。你先进屋陪陪我的母亲吧，如果害怕的话可以在我家留宿，等明天我再和父亲一起商量对策。”

说完，他便爬上了通往阁楼的梯子。

那梯子十分的简陋，越往上越陡峭，于是，约瑟夫小心地爬到阁楼外，从窗缝往里窥视，然后被里面的情景吓了一跳。

天花板上挂着四个铜火盆，里面燃烧着熊熊大火，将阁楼照得一清二楚。

窗口处挂着第五个铜火盆，炼金术师站在它旁边，每次往其中丢一把神秘的粉末，都会有一道火舌蹿出来，将庭院照得透亮。

阁楼比约瑟夫想象的要高，天花板上搁置了一层层隔热的金属板，靠墙的位置放着一个大柜子，上面挂着铁链和锁，很显然放着科鲁兹最宝贝的东西。

房间的中央放着一个三脚架，上面搁着铜火盆，炼金术师和特灵围着火盆坐下，全神贯注地盯着其中的七彩火光。约瑟夫不知道里面燃烧的是什么东西，只闻到很刺鼻的味道。

“我承认你的方法很好，但是它会让我精疲力尽。我只是一个探索物质间相互作用的炼金术师，比如把醋、糖和苏打混在一起。”

“它们不会受星象变化的影响吗？”

“不一定。海水会受潮汐影响，气候有时会受天体运行影响，至于其他的事我就不清楚了，那是占星师们研究的范围。”

“可是，人的生活会受到天体影响吧？”

“那是魔术师和巫师研究的内容。”

特灵追问道：

“可是，难道你不想追求长生不老的秘籍吗？”

“没有。”

科鲁兹回答道，“我只是对这种魔力感到好奇而已，但我不像那些虚度一生想要重来一次的人那样迫切地想得到这种力量。”

“那‘点金石’呢？”特灵的眼底闪动着贪婪的光芒，手指紧紧蜷起来。科鲁兹却没有注意到这一点，径直回答道：“对于愚昧无知的人来说，它是能够将碰到的东西变成黄金的宝贝。但是对我们这种学者来说，点金的过程远比结果重要。”

“这是什么意思？”

特灵不自觉地提高了声音。

“众所周知，世界上每一种物质都有自己独特的性质，阿基米德将不同的物质投入水中，从而发现溢出水的重量不同，也证明了这一点。黄金和黄铜是不同的物质，遇到火、水、土和空气都会发生不同的变化，所以人既不可能从黄铜中提出金子，也不可能从金子中炼出黄铜，除非有人掌握两者之间的联系。”

“那你为什么不努力破解这个难题？”

炼金术师深吸一口气，回答道：

“我有更重要的事情要做。一直以来，我都对生命的奥秘很感兴趣，我想知道人的灵魂是否是一种物质，想探索地球的奥秘和天象的玄机，上帝赐予我聪明的头脑，每当我思索时，总会觉得自己与上帝同在。”

“你可真是个傻瓜。”

特灵摇头晃脑道，“你可是这个时代最有天赋的炼金术师，居然会为那些东西浪费时间，明明还有更伟大的事业等着你啊！”

“你是指……”

“你知道我的意思，你和我已经可以在旁人不清楚的领域里做实验了。”

“是的，可我无法全身心地投入进去。诚然，在你刚刚带我进入这个领域时，我总能学到新的知识，但是这种实验也许对人并没有什么好处。我非常相信，在纽伦堡和黑森林可能有人做这些，但是我们现在在克拉克夫城，还是小心些好。”

特灵仍然不死心地劝说着，他的眼神看上去既邪恶又轻蔑。

约瑟夫不由得打了个冷战，觉得他好像一个魔鬼，正在处心积虑地想要将科鲁兹拉下深渊。

“科鲁兹先生，在纽伦堡的老师告诉过我，人的大脑分为两部分，一部分处于劣势地位，负责处理人们日常的衣食住行；另一部分处于优势地位，聪慧灵活，但只会在我们入睡后显示力量，所以人们对它一无所知，不过我前阵子对你的催眠证明了这一点。而现在，是时候利用你那一半优势的大脑了。”

“我要用它探索什么？”

“当然是黄金啊！”

特灵的语气狂热至极，这让约瑟夫都不由得打了个冷战。

“可是黄金对我来说并没有那么重要。”

“它当然重要！”

特灵坚持道，“如果我们能掌握其中的奥秘，整个世界都会听从我们的命令。我们会住在最豪华的房子里，品尝最美味的佳肴，甚至可以支配整个国家的军队，我们会成为全世界最富有的人。”

看到科鲁兹依然不为所动。约翰·特灵只得换个角度劝说：

“你想想看，如果我们成功的话，你的炼金事业会有多大的成就？到时候，你就可以在比这个破阁楼大百倍的地方工作，还可以拥有无数的炼金器材，再多、再珍贵的材料我们也可以轻而易举地得到，难道这些还不足以让你动心吗？”

科鲁兹果然动摇了。

“对我这样清贫的学者来说，这的确很吸引人。可是，如果我用那一半优等大脑来做实验的话，真的可以把金属变成黄金吗？”

“我对你充满信心。”

特灵激动得差点跳起来，“只要你全身心地投入进来，我们一定可以成功！到那个时候，我们会拥有无数的黄金。你想一想吧，你可以为你的侄女、为克拉克夫大学做多少贡献？你甚至还可以把我们伟大的祖国，变成世界一流的强国！”

科鲁兹沉默了。

他觉得自己从前的人生失败透顶，他一心想摘取智慧皇冠上的宝石，但是在别人眼里，他不过是一个贫穷邋遢的老学究而已。

既然如此，那么他还有必要过那种清贫的生活吗？现在，只要抓住眼前的机会，他一定可以为家人提供更好的生活。

“你是对的，这的确是一项神圣的使命，如果成功的话，我们甚至可以改变整个世界。那我们今晚还要继续做实验吗？你要继续催眠我吗？”

目的达到后，特灵心满意足地说道：

“不用了，今晚我们都太累了，况且你刚刚在催眠状态中还大喊大叫起来。我建议我们明早再试一次，现在还是好好休息吧。”

“这么说起来，我的确困了，还是明天再说吧。”

听到这里，约瑟夫赶紧从梯子上爬下来，一溜烟地跑回家了。

第八章
潜伏的危机

时间飞逝，等到秋天到来时，约瑟夫已经可以用小号吹奏整支《海纳圣歌》。

爱尔兹彼嘉的乐感比他更好，没多久就熟悉了整支曲子的旋律，不但可以哼唱，还能默写下来。

由于炼金术师经常长时间和特灵待在阁楼，爱尔兹彼嘉到约瑟夫家来得越来越频繁。

这天晚上，约瑟夫忽然嚷嚷道：

“我很快就能吹四个方向的《海纳圣歌》了。”他之前在塔楼朝北的窗户前吹过一次。

“太好了，每次我惊醒时，只要听到圣歌就没有那么害怕了。”

说到这里，爱尔兹彼嘉忽然压低了声音，“我觉得叔叔被人控制了。”

“什么意思?”

“我也说不清楚，但是他的确跟变了个人似的。虽然他和以前一样睿智亲切，但是他对某种东西的研究已经达到痴迷的程度，整天都和那个叫特灵的学生待在阁楼里……”

“我就猜到会这样。”

“我不知道他们在阁楼里做些什么，他们经常一待就是整晚，还说些奇怪的话，有时候我甚至听到叔叔的惨叫声。那天夜里我叫你上去看看，就是因为听到了那样的惨叫声。”

“我把那天看到的事情告诉了父亲，可是他认为这种事不该我们管。”

约瑟夫回答道，“他说你叔叔是我们的大恩人，也是一位伟大的学者，现在也许在从事某项伟大的研究。他不许我再过去偷看了。”

“也许吧，可是我还是更喜欢从前的叔叔。”

那天之后，爱尔兹彼嘉成了安德鲁家的常客。她常在下午过来，等约瑟夫放学后，两人便一起上街逛逛。他们还常常出城去玩，带着沃芙一起到处冒险。

有一次，他们在傍晚的时候去了圣母玛利亚教堂的塔楼，并爬到了吹号手的值班室。

约瑟夫拿起他父亲的小号，告诉爱尔兹彼嘉：

“等我开始吹奏四个方向的圣歌时，你一定要认真听啊，听听我有没有吹错。”

“我一定会仔细听的。”

“要是吹错了一处，我就把帽子送给你；要是吹错了两处，我就把沃芙送给你。”

说到这里，约瑟夫忽然想到了一个主意，“要是我将整支曲子吹完，没有在休止符的地方停住，你就跑去找杨·苔地修士，通知他把大家召集起来，因为可能有意外发生了。”

“这是什么意思?”

“你应该听说过《海纳圣歌》以休止符结束的原因吧。”

“是的，那个吹号手十分勇敢。”

“也许有天晚上，克拉克夫城再次被入侵，而我在塔上孤立无援，到那时我绝不会逃走，而是会马上发出信号，通知全城警戒。我的信号就是完整的《海纳圣歌》，不会在休止符的地方停下。”

“这真是个好主意!”

爱尔兹彼嘉兴奋得脸颊通红，她认为约瑟夫一定将自己当成了很重要的朋友，才会和自己分享这种秘密，“你放心，到那时我一定会去找杨·苷地修士的。”

约瑟夫没想到女孩将自己的随口一说当真了，顿时有些不好意思地转开了视线。

护城墙附近修了许多塔楼，城里的每个商会都分到了一座，负责日常的维护保养，而且需要派人到塔上值班，时刻监视敌情。

在教堂和塔楼之间是一大片皇室领地，里面修筑了许多宫殿，还有许多卫兵巡逻。街上熙熙攘攘，摊贩们争着兜售自己的货物，好不热闹。远处，瓦威尔教堂在阳光下熠熠生辉。

等到天快黑时，他们才离开塔楼。

许多穿黑袍的学生和教授匆匆赶来，聚在公寓楼下，约瑟夫和爱尔兹彼嘉在人群中挤来挤去，好不容易找到一个视野开阔的地方站住脚，看见一位穿长袍的学者正在用拉丁语做演讲。

“原来大家议论的人是他啊，这可是一位了不起的意大利学者。”

约瑟夫告诉爱尔兹彼嘉，“他专程来朗诵诗作，还预言新学问的时代即将到来，鼓励人们用自己的语言来书写和思考。”

“你听得懂他在说什么？”

“能听懂大部分。在我八岁的时候，父亲便请人教我拉丁语，它的语法很烦琐，但是学好拉丁语可以受到人们尊敬，我就用心学了。现在学校授课也都是拉丁语呢。”

“为什么他要来克拉克夫城演讲呢？”

“他可能是为了让大家改变观念吧。有些人并不喜欢新学问，反而愿意遵循流传了几个世纪的旧论文。”

在他们谈话时，一位波兰学者在欢呼声中上台，并用波兰语朗诵自己的诗作。

“为什么不都用波兰语朗诵呢？这样大家不是听得更明白吗？”

爱尔兹彼嘉嘟哝道，“如果我是诗人，我就要用波兰语来赞美我们伟大的祖国。天哪，我真喜欢你说的新学问。”

约瑟夫笑了笑，没有说话。紧接着，爱尔兹彼嘉又问道：“为什么女孩不能和男孩一起学习呢？我也想读这些作品。”

她的语气坚定，透露出强烈的求学愿望。约瑟夫暗自思忖了一下，回答道：

“其实我也不知道为什么，学校从来没有收过女学生哩。”

他们一边说话，一边往回走，全然没注意到有两个人鬼鬼祟祟地跟在他们后面。这两人身材矮小，正躲在房子后面密谋些什么。

“嘘，就是那个男孩。”

说话的人是个驼背，细长的手指指着约瑟夫刚刚离开的方向——他正是院里看门老婆婆的儿子，史塔司。

“你说他是什么时候搬来的？”

史塔司说出了一个日期。

“就是他！我上次看到他时，他还穿得脏兮兮的，像个乡下小孩，现在居然穿着天鹅绒、戴中学帽子！你说他住在你家楼上？”

“是的，他姓科瓦斯基。”

“我记得他姓察奈特斯基啊。算了，看到这枚金币了吗？现在它是你的了。”

说完，他将金币放入史塔司的掌心。

史塔司兴奋得发抖，然后听见男人吩咐道：

“这件事情绝对要保密，事成之后，我还会给你更多的金币。现在，带我去他们住的地方看看。”

他们紧紧地跟在约瑟夫身后，很快便来到了院门口。

“很好，你要密切监视他们的一举一动，每天下午三点到金象小酒馆向我汇报，记住，一定要保密。还有，今晚拿灯好好照照那个男人的脸，事成之后，你会拿到赏钱的。”

史塔司点点头，随即缩着肩，像猫一般溜回了自己的房间。

同时，那个男人快步走到金象小酒馆，心情愉悦地坐下来。

他想，自己的运气真是太好了，要不是今天回城了，他便不可能看到那个男孩，也不可能找到察奈特斯基一家的住处——自从那天遭到围攻后，这一家人便如同消失了一般，没有一个人知道他们的下落。但是莫斯科的一凡大公许诺他，只要他能找到他们，便能得到一座城堡和无数的金银珠宝。

“别人都叫我巴丹·各罗尼——恐怖巴丹，像我这样厉害的人物运气注定不会太差，我一定可以从波兰佬手里拿到那东西，然后狠狠地报复他们那天在城门口对我的侮辱。”

他正是一开始跟踪安德鲁一家的陌生人。

这时，一个脏兮兮的乞丐走了进来，用嘶哑的声音向顾客乞讨。巴丹注意到后，往他手里塞了一枚铜币：

“你今天来晚了。”

“对不起，先生，我本来以为自己找到线索了。”

听完后，巴丹没有像往常一样大发雷霆，反而笑了起来，道：

“人已经找到了，你快点儿骑马去塔尔奴夫，在那里召集弟兄们过来。这可能得花些时间，但是你们必须在第一场雪之前赶回。”

乞丐点头，转身离开了酒馆，向城外跑去。在那里，他找到了来时藏起的马，然后径直朝塔尔奴夫飞奔而去。

留在酒馆的巴丹继续陷入沉思。他想，多亏自己一眼看出史塔司的潜在用处，并做东请他喝了一杯，终于了解到他楼上新搬来了一个吹号手。

今天他过去看了一眼，一下子认出那个男孩，等到今晚他再确认那个吹号手的身份，他们的好日子便到头了！

想到这里，巴丹激动得发抖，脸颊上一块纽扣状的疤痕格外显眼。

他的外号是“纽扣脸彼得”，母亲是鞑靼人，父亲是哥萨克人，生性残暴，手底下有一大帮乌合之众，他们烧杀抢掠，无恶不作，近十年来在边境犯下了数不胜数的恶行。整个乌克兰的人没有不怕他的。

因为这个缘故，他很得波兰和莫斯科的大人物看重。每当权贵们要做一些不法勾当时，就会派他去执行，鞑靼的可汗也曾雇佣过他。

一百多年前，通过立陶宛大公和波兰女王的联姻，乌克兰的广大疆土与波兰合并，但是莫斯科的一凡大公却早就看中这块土地，处心积虑地想要得到它。所以这块夹在波兰与莫斯科之间的土地上战火绵延，民不聊生，许多像巴丹这样的恶棍冒出来，让一些平民家破人亡，安德鲁·察奈特斯基不过是受害者之一罢了。

遗憾的是，此时安德鲁一家正坐在餐桌前享用晚餐，并未意识到大难即将临头。

第九章
彼得的报复

寒潮来袭，整个城市陷入了漫长的冬季。

贫困人家依靠屋顶上的茅草和墙边的沙堆御寒，富人们早早地修好了高大的砖炉，普通人家则大多依靠敞式火炉取暖。

圣母玛利亚教堂的吹号手站在塔上四处瞭望，一看见火苗蹿上屋顶便拉响警报，消防人员迅速赶到，为保卫市民的安全而忙个不停。

在本月的最后一个星期三，轮到安德鲁先生值夜班。他独自走在路上，对现在的生活感到心满意足。

自己挣的钱足以养家糊口，儿子的学业也大有进步，妻子过得平静幸福，他只要在不久的将来将宝贝呈献给国王陛下就好了。

只是，要觐见国王也不容易。

这几年，国王和外交官为了和平四处奔走，鲜少在城里逗留。即便他回来，求见的人也如过江之鲫，根本轮不到安德鲁觐见。

不过，安德鲁并不忧虑，因为在夏末的某一天，杨·苷地已经将请愿书交给国王，国王承诺会尽快召见他们。在那之后，安德鲁便将宝贝藏在他认为最安全的地方了。

在安德鲁离开鸽街后，一阵急促的敲门声响起。史塔司连忙开门，手中的提灯贴近来人的脸。下一秒，他便被一拳头打翻在地。

“你这个蠢货，难道想要别人看清我的脸吗？要是我被抓了，你也讨不到好。”

来人骂骂咧咧地揪住史塔司的衣领，质问道，“我吩咐你的事做好了吗？”

“都做好了。”史塔司可怜兮兮地回答道。

“那好，这屋子里还有谁在？”

“顶楼有一个租客和他的侄女，二楼就剩那个男孩和他的母亲。”

“住在这里的学生呢？”

“他们都出去了，有时候天亮才回来。”

“那我们就没什么好怕的了！连我在内，十二个人就足够应付了，四个人去那家人房间搜，四个人应付其他的租客，剩下的人把风，就算碰上巡夜人也没什么，我们可以对付他。”

史塔司领着他往楼梯上走，忽然从院子里传来几声狗叫。

“那是什么动静？你没有告诉我这里有狗。”

“它被锁着呢。”

史塔司谄媚地回答，“现在可以给我金币了吗？”

那人往他手里塞了几块金币。可是史塔司还不满足，嘟哝道：

“就这些么？”

“蠢货！”

来人怒不可遏，他伸手掐住史塔司的喉咙，“完事后我会再给你剩下的金币。可你要是再来烦我，我就送你见上帝！记住，要是一切顺利的话，我会给你双倍报酬，不过，如果你敢出卖我或者犯下什么错误，我会让你后悔认识我的！”

说完后，他才松开手指，恶狠狠地瞪了史塔司一眼。史塔司踉跄了几步，默不作声地带来人往楼下走。

“记住，凌晨两点整，我会带我的人过来，你要过来给我们开门。”

就在他们密谋的时候，炼金术师正在阁楼上工作。他刚刚结束一项实验，忽然听见院子里传来一阵狗叫。

这是怎么回事？

他想，这只狗从不会对着楼上的住户叫。于是他用布罩住灯，推开门往下看。

楼下传来窸窣的交谈声，楼梯也很快响起来，他立刻意识到有外人闯进来了。

下一秒，史塔司发出惨叫，然后两人交谈了一会，一起下楼了。

科鲁兹恰好听到了陌生人的最后一句指示，一下子明白他们正在密谋什么坏事。

一个称职的看门人是不会在凌晨两点放外人进来的，可是，自己应不应该插手这件事呢？需不需要立刻去通知巡夜人呢？

他想，也许是自己搞错了。就算真的有人来抢劫，自己这里的东西也足够应付了。然后他又继续埋头工作，直到得到满意的结果后，才开始重新思索史塔司和那位不速之客的谈话内容。

他们停留在安德鲁家门前是什么意思？

那一家人有什么秘密吗？

他们为什么要改名字？

谁要找他们复仇？

他们既没有钱也没有珠宝，为了生活还得卖掉仅剩的马车和马匹，而且他们对爱尔兹彼嘉很友好，还是自己的好朋友……

想到这里，他突然跳起来，点燃了两个火盆，一个用来融化树脂，另一个用来加热液体。然后，他将火熄灭，用小刷子将两者的混合物涂到挂在墙上的黑袍上和实验用的防毒面具上。

“肯定没有人会想到，我在长袍和面具上都涂了磷。”

做完这些后，一阵困意袭来，就在他快睡着时，圣母玛利亚教堂上的钟声响起，《海纳圣歌》的旋律飘荡在空中。在曲子接近尾声时，科鲁兹听见了楼下的响动，立刻悄悄往下看：史塔司开门放进了十二个人，这下，自己喊巡夜人过来也没用了，两个人怎么能对付这么多恶棍呢？

他正暗暗懊悔自己的自大，院子里的沃芙却被响声惊动，大声吼叫起来。

“让那条狗闭嘴。”

一人压低声音命令道。

很快，有脚步声通往院子，还有人锁住了通往院子的门。就在科鲁兹担心沃芙的安危时，有人发出了一声惨叫，很快，那人逃出院子，向首领报告：

“我没办法接近那条狗，它死命地咬住我的腿，我差点疼死了。”

“你们三个人一起去对付那条狗。”

首领命令道。

很快，院子里又开始了混战。突然，约瑟夫提着灯出现在二楼门口：

“沃芙！沃芙！”可是狗没有回应他，没多久，约瑟夫也不出声了。

原来，这伙人很快便制服了沃芙和约瑟夫。他们把狗装进麻袋里，又将约瑟夫捆起来关到房间里。

“你们四个在门口把风，你们四个守住楼梯，剩下的人跟我进屋！”

首领吩咐道，手里的提灯照在脸上，露出一块纽扣状的疤痕。

科鲁兹大惊失色，他认出疤痕是东方瘟疫留下的印记，因此，来人要么是鞑靼人，要么是哥萨克人。

他猜得没错，来人正是纽扣脸彼得和他手下的一帮乌合之众。

此时，彼得一声令下，他的手下便一起冲进屋子。炼金术师听见女人的尖叫和家具碎裂的声音，立刻明白他们想要找到一样东西。

“搜床！”

这伙人用利剑将家具砍得粉碎，又撕裂毯子，挑破枕头，终于在毁掉整个屋子之前找到了自己想要的东西。

“就是这个东西！”

彼得兴奋地拆开包裹，在确认它正是自己所找的东西后，便准备带手下撤离。

不想，身后忽然传来一声尖叫，史塔司面容扭曲地扑了过来：

“金币！给我金币！”

很显然，他在担心自己是否可以得到许诺中的报酬。

“蠢东西！”

彼得咆哮道，“来人啊，把这家伙扔进狗窝里喂狗，到那时我就给他金币。”

两个人抓住史塔司的手，可他挣扎得太厉害了，很快又有一个人上前挡住他的去路，三个人将他围得死死的。史塔司奋力抵抗，又踢又咬，一时间，竟然没有人能靠近他。彼得只好放下提灯，亲自来对付他。

眼看自己即将遭殃，史塔司心生一计。

提灯正好放在他身后的地板上，他用力将它踹翻，想要趁着一片漆黑逃跑。

可是，那群家伙还是抓住了他，将他架到门口，想要离开。这时，楼上忽然传来女孩的尖叫。

“够了，这些鬼叫真让人心烦。既然东西已经拿到了，那我们赶紧走吧。”

他摸黑走到床边，拿起那件宝物。突然，楼上传来一声巨响，一道红光射过来，照亮了整间屋子。

第十章

“魔鬼”的反击

彼得惊慌失措地冲出去，看见阁楼上不断冒出火光，巨大的爆炸声响起，四周仿佛陷入了一片火海。楼下，几个手下也目瞪口呆地看着这一切，史塔司趁机挣脱了他们的禁锢，逃回了房间。

这神奇的现象将彼得吓坏了，但他为了保住面子，只能壮着胆子冲到三楼的平台上，在巨响中冲手下嚷嚷：

“上来！这有什么可怕的？”

“魔鬼现身了！”

彼得愤怒地咆哮道：

“快上来，你们这些孬种，否则我就把你们的头一个个地砍下来！赶紧给我上来！”

眼见他拔出了弯刀，二楼的三个手下才战战兢兢地爬上来。

其中一人劝道：

“既然我们已经拿到东西了，就赶快走吧。魔鬼已经现身了，我们的灵魂会被控制的。”

“胡说八道，哪有什么魔鬼！这肯定是人搞出来的把戏，如果我们不及时制服他，那么等不到我们出门，全城的人就会围过来了。”

彼得仰头看了眼阁楼，命令刚刚说话的手下爬上去，“告诉我你都看到了些什么。”

那个手下害怕极了，只能硬着头皮爬几步，还没有到阁楼便主动汇报：

“门开着，里面没有灯。”

“那就继续爬啊，蠢材！要是发现里面有人，就一刀子结果他。”

剩下的几名手下也相继爬进了阁楼，几分钟后，等得不耐烦的彼得亲自爬上梯子，进入了黑漆漆的阁楼。

“有什么发现吗?”

“没有。”

一个手下小声地回答。

这下子，彼得更加生气了：

“要是这里藏着什么人，咱们非得逼他出声不可，否则咱们的麻烦就大了。”

话音刚落，一道红光蹿出，照亮了整个阁楼。

一个拿着权杖的“魔鬼”现身了！他身穿一件冒火光、喷绿烟的长袍，权杖不停地往下面掉着火球，一下子把这帮亡命之徒吓得浑身发抖。

他们转身往外跑，还语无伦次地尖叫着：

“快跑啊！有魔鬼！”

在混乱中，“魔鬼”挥舞着权杖，狠狠地揍了冲到楼梯口的手下几拳，他们惨叫着推搡着，最后一起从楼梯上摔下去了。

彼得强撑着站在原地，咆哮道：

“不管你是人是鬼，我倒要看看你有什么本事！”

说完，他便气势汹汹地拔剑砍过去，但是“魔鬼”轻巧地避开了，还在他脸上拍了一掌。

一刹那，彼得感觉到有粉末混入了眼睛，疼得他满地打滚，大叫：

“我被魔鬼抓住了，你们快来救我啊！一群没用的东西，我命令你们来救我！”

可是，回答他的只有手下跌跌撞撞冲下楼的声音。

慌乱之下，彼得只得狼狈地爬下梯子，满心想要逃离

那个可怕的“魔鬼”。

可是“魔鬼”却紧跟着他，一边走，一边挥舞彩色的“火球”。

爆炸声震耳欲聋，沃芙趁乱咬破了麻袋，探出头来狂吠。

被关在房间里的约瑟夫也挣脱了绳索，用力踹墙，同时，爱尔兹彼嘉大声求救，这也引得附近的居民纷纷探头查看，而逃过一劫的史塔司更是唯恐天下不乱，拼命地拉扯门铃。

那群恶棍吓得哇哇乱叫，最后在楼梯上撞成一团，差点摔下去。

可是没等他们站稳，楼梯便“轰”的一声倒塌，几个人全部摔到院子里，只有彼得凭借敏捷的跳跃，躲过了一劫。他站在安德鲁门前，正想潜入屋子里时，却被身后的“魔鬼”扑倒在地板上。

炼金术师摇晃着沾满松油的权杖，高声质问道：

“你们来这里做什么？”

一听到人的声音，彼得反而不那么害怕了，他把头扭向一边，道：

“我不说！”

“那我就把你交给巡夜人。”

“交就交，反正他们什么也查不到。”

“我倒要看看你是什么人。”

科鲁兹用身体压住了彼得，然后从袍子里掏出了火石点燃，一刹那火光照亮了整间屋子，他的视线却被地板上的东西吸引了：那就像一个有无数切面的玻璃球，闪耀着璀璨的光芒。

“天哪，这一定就是你们想偷走的宝贝！”

科鲁兹惊叹不已，“看样子你们今天的任务很不一般，普通人家是不可能收藏这种宝贝的。”

彼得挣扎了几下，却被炼金术师狠狠地压住，厉声喝道：

“别乱动，否则就别怪我不客气！到底是谁派你们来的？”

彼得咬紧牙关，一声不吭。

这时，院子里传来巡夜人的叫喊声：

“我以国王陛下的名义命令你们站住！”很显然，他正在追捕彼得的同伙。

彼得心知情况不妙，转转眼珠后，立刻想到了一个坏点子：

“只要你把我藏起来，我就告诉你答案。”

“不可能。”

“那你看看那个东西。”

他挣扎着指向地板上的宝贝，然后趁着科鲁兹扭头的机会，掰开了掐住自己喉咙的手。

他们在地板上滚作一团，直到撞上墙边才停下来。桌子和瓷器翻倒在地，彼得盘起双腿紧紧地夹住科鲁兹，然后用力扭动四肢，直到科鲁兹的骨头嘎吱作响，然后是一个快速地翻转，他死死地压住了炼金术师。

“哈，这下你没办法了吧。”

彼得冷笑一声，狠狠地将科鲁兹的头往地板上撞了一下，然后把他扔到了墙边。

幸运的是，科鲁兹的面具起到了很好的防护作用，他并没有受重伤，只是装作昏迷不醒。

就在彼得拿起宝贝逃跑时，科鲁兹迅速从长袍里掏出一小包只要摩擦就能引爆的炸药——说来奇怪，他们刚才在地板上滚来滚去竟然没有引爆它。

说时迟那时快，就在彼得迈出门的一瞬间，科鲁兹用手中的炸药砸中了他的后脑勺，发出了一声震天巨响。

巨响之后，院子被一道光照得透亮。

所有人都听到了来自火光里的惨叫，他们眼睁睁地看着一个头发冒火的人冲出来，跳到了通往阁楼的梯子上。他爬上阁楼的天花板，打开天窗，逃到了屋顶上，很快便消失不见了。

周围的人又喊又叫，可是彼得跑得那样快，头顶的火光划过，好像流星一样消失在屋顶后面，这下子，谁也说不准他的去向了。

等人们搭建好临时的楼梯后，约瑟夫和他的母亲才被救出来，爱尔兹彼嘉也成功脱险。

科鲁兹精疲力尽地回到阁楼，在脱掉袍子和面具后，便倒在床上睡着了。

就在所有人都以为这伙恶棍一无所获时，安德鲁却发现自己的宝贝不见了，他找了很久，最后确信东西被人偷走了。这真是太不幸了。

不过，彼得的那群手下可没有什么好下场。

有的被关入了地牢，有的被驱逐出境，还有一些有案底在身的人则被移交当地审判……安德鲁本来想从他们身上获得一些线索，可审问后才发现，他们都对首领的真实身份一无所知。

至于史塔司，他被自己的母亲赶出了家门，只好在金象小酒馆干活，可好景不长，他在夜里打劫了一位顾客，自那以后就再也没有人见过他了。

第二天，科鲁兹将昨晚发生的一切告知了安德鲁。听完后，安德鲁恨恨地捶打了两下椅背。

“我就知道！那个人曾袭击过我两次，我早该猜到他的身份！”

他气愤地嚷嚷道，“他一定是叫巴丹的混蛋，我在乌克兰听说过他的恶名，他的脸上有一个纽扣状的疤痕，因此被人称作‘纽扣脸彼得’。就凭这个，我也该早早认出他，没想到他竟然能找到这里来！”

说完，安德鲁难过地低下头，继续修补昨天被损坏的家具。

第十一章
偷袭教堂

那天之后，彼得销声匿迹了一段时间。

等他再次露面时，被火烧光的头发已经重新长出来，火焰灼烧过的大片伤疤也几乎痊愈。有传言说，他去莫斯科见了一凡大公。

等到春天到来后，彼得开始了行动。

他带着一帮乌合之众到卢布林森林驻扎，四处烧杀劫掠，直到军队开始搜捕他们，才躲到北部的沼泽地区，再次销声匿迹。

其实彼得并不赞成这次的抢劫计划，他想早些回城去抢回宝物，但是他的手下坚持要先干一票，他便只能放任了。

最后，彼得和手下在塔尔奴夫达成共识。他让手下混入一支商队，去往克拉克夫城，等他们进城后，便一起驻扎在布匹交易中心的东侧。

然而，安德鲁并未察觉到彼得的阴谋，他还沉浸在丢失宝贝的悲痛之中。

尽管妻儿和朋友都努力宽慰他，但是每当夜深人静，沮丧都会笼罩他的心头。他觉得是自己的疏忽导致了这次灾难。

约瑟夫是个懂事的孩子，每逢放假前一天，他便会去塔楼陪伴父亲，然后一直待到第二天早上。

为了让父亲好好休息，他有时会主动为父亲代班，负责吹奏圣歌和监视火情。他吹奏小号的技艺日益高超，已经快要赶上父亲了。

这天晚上，他和父亲一起值班，守门人在教堂附近巡逻。

彼得在广场附近潜伏，等凌晨一点过后，他探出头来，小声命令自己的手下：

“米歇尔，该你行动了。”

话音刚落，一个穿皮衣的男人从马车中溜了出来，如蛇一般蠕动穿过十几辆马车，最后躲到了靠近市场的一棵树下，等待守门人经过。

他是乌克兰臭名昭著的“蛇人”，同时也是彼得的得力手下之一。

不一会儿，守门人打着呵欠过来了。他敲敲门前的石板，仔细巡视街道和广场上是否还有行人，在发现没有可疑情况后，便将长戟和提灯放到地上，然后从随身的口袋里掏出面包和肉，开始大吃起来。

他并不知道，就在自己身后的外墙旁，有一个恶棍正蠢蠢欲动。“蛇人”无声无息地朝守门人的方向溜过来，最后躲进一处距他两米远的阴影里，警惕地环视四周。守门人毫无察觉，甚至放松地打了个嗝：对他来说，生活实在是太悠闲了。

说时迟那时快，“蛇人”像一只捕食的老鹰般扑了过去，迅速将守门人按倒在地，用方巾堵住了他的嘴，然后把他绑了起来。

一开始，“蛇人”本想一刀结果他，又担心他的惨叫会搞砸整个计划，只得作罢。最后，他从守门人身上搜出钥匙，悄悄溜了回去。

“我已经将守门人捆在墓地里了，这是塔楼的钥匙。”他向彼得汇报。

彼得满意地笑了起来，一声令下后，所有的手下都换上了皮衣皮鞋，悄悄向塔楼移动。彼得走在最前面，小心地打开了塔门。

“小心一点，今天那个小鬼和他的父亲都在里面，先不要惊动他们。等我发出信号后，你们再把他们抓起来。”彼得小声命令道。

一伙人悄无声息地进入塔楼，最后一个人还特意关上了铁门，以免引起怀疑。

“今天的任务很简单，不过你们还是要小心，不能让他们拉动绳索，否则的话全城的人都会跑过来。所以，我们的动作一定要快，明白吗？”

他们蹑手蹑脚地往上爬，直到看到灯光后才停下——那就是父子俩值班的地方了。

“父亲，你去睡吧，待会儿我来吹奏《海纳圣歌》，你放心，我已经看得懂沙漏，绝对不会出错的。”

说完，约瑟夫将小号放到桌子上，刚准备拿一盏提灯，就听见门外一声巨响，三个男人突然冲进屋来，其中一个紧紧抓住他的胳膊，还有两个人将毫无防备的父亲按在地板上。

“哈哈哈，好一对快活的报时鸟！这下可没有人能打扰了。”

彼得嘲笑道，“你们猜猜，我为什么来这里找你们？”

约瑟夫认出这是他们来克拉克夫城第一天遇见的那个

人，他曾煽动群众朝自己一家扔石头，还曾把自己绑在卧室里……

为什么这个恶棍要来找他们呢？难道是为了报复父亲那天让他摔下马车的事吗？

想到这里，他忍不住打了个寒战。现在他和父亲都被制服，他们要扔人下去易如反掌。

要是从这么高的地方摔下去，等到明天早上被人发现时，他和父亲恐怕早就断气了。

安德鲁却没有慌乱，说：

“我不知道你来这里的原因，但是我已经知道你的身份了，纽扣脸彼得，真奇怪，我居然没在第一次见面时认出你。”

“骗子！难道你以为我是傻瓜吗？”

彼得愤怒地叫起来，“我告诉你，我来是为了取回我要的东西，你要是不肯老实交代，我手下这群兄弟可不是吃素的，他们会给你好看的！快说，神秘的塔尔奴夫水晶球在哪里？”

听到这里，约瑟夫才知道父亲辛苦保护的那件宝贝是塔尔奴夫水晶球。

只是，水晶在乌克兰称不上十分珍贵，这个水晶球到底有何奥妙之处，竟然引来了这么多人垂涎？

“你居然还跑来问我？在你袭击我家之后，那水晶球就消失了。如果连你都不知道它的下落，我又怎么会知道？”

安德鲁回答道。

彼得大吃一惊，随后就露出不相信的表情，他大声斥责道：

“你休想骗过我！东西肯定在你手上，你要是不肯说，我有的是法子治你！”

“米歇尔，将这个小鬼带到他的住处去，拿刀架着他的脖子，要是你们过了一刻钟还没有回来，我就宰了这个波兰佬……等一下，”彼得忽然改了主意，“还是我跟着这个小鬼，免得他耍花招。你来看着老家伙，要是我们过了时间还没有回来，就按照计划行事。”

彼得认为安德鲁之前在撒谎，眼下，他为了保住自己和儿子的性命一定会选择交出水晶球的。

而小鬼虽然可能不清楚水晶球的具体位置，但他知道不交出宝贝的话，自己的父亲就会没命，所以一定会拼命寻找。

还有一种可能，安德鲁将宝贝藏到了房子外面，这样的话他就得等回来后再严刑逼供。

彼得正准备带着约瑟夫出门，忽然注意到了桌上的沙漏。

“不行，马上就要到凌晨两点了，号声得在那时候响起，否则会有人过来查看的。小鬼，过来，我知道你有时候替你老爹吹小号，在我们出门之前，你去把小号拿过来……等一下，你先过来。”

他将约瑟夫拉到外面的钟绳边，命令道：

“拉两次钟绳，然后就和平时一样拿着小号吹圣歌，快点！”

他手上的刀发出寒光，约瑟夫只得照做。在拿起小号时，他忽然想起很久以前那个吹号手的故事，现在历史重演，到了自己该展现勇敢的时候了。

他知道爱尔兹彼嘉一定会将他之前的话放在心上，而且她会在凌晨两点听自己的吹奏，想到这里，一丝希望涌上心头。

只是，即使她听出《海纳圣歌》没有在休止符的地方停下，她又能怎么办呢？

何况，她的叔叔已经做实验做到了走火入魔的地步，肯定不会相信她的说辞。这样晚了，她敢独自去找杨·苷地吗？

如果她去了，杨·苷地肯定能召集人过来，这样的话，他和父亲就可以得救了。

如此说来，自己和父亲的性命就全系在爱尔兹彼嘉身上了，约瑟夫深吸一口气，暗暗祈祷彼得没有听说过《海纳圣歌》以休止符结尾的故事。

“好了，你开始吹奏吧。”

彼得大声命令道。

约瑟夫举起了小号。

一瞬间，他仿佛置身于混乱残酷的战争中：

脚下的城市变成森林，到处都是熊熊大火，身材矮小的鞑靼人到处骑马作乱，不远处有一个男人跃下马背，拉弓射箭，箭矢直直地朝他飞了过来……

在约瑟夫吹奏时，彼得一直警惕地站在一边，提防他耍花招。

约瑟夫在乐曲结尾稍微停顿了一下，然后鼓起勇气多吹奏了三个音符——他多害怕彼得听出破绽，然后伤害自己啊！

“好了，再去南边的窗户吹。”

彼得恶声恶气地吩咐道。约瑟夫兴奋得差点发抖：太好了！他不知道那个故事！

接着，他分别在南、东、北边的窗户吹奏，每一遍都多吹了三个音符。

吹完后，彼得紧紧地钳住他的胳膊，一起下了楼梯。

街道上空无一人，彼得押着约瑟夫躲在建筑物的阴影里，内心充满了兴奋。

他想，等拿到了宝贝之后，他就找个僻静的角落干掉小鬼，再回到塔楼解决那个老家伙。

明天一早，他就可以和手下一起混入商队，轻松地离开克拉克夫城。

第十二章
勇敢的爱尔兹彼嘉

这天晚上，爱尔兹彼嘉与往常一样溜出了家门，跑到了二楼的房间前，轻轻地敲了三下。

“进来吧，孩子。”

约瑟夫的母亲在看清来人后，热情地邀请她进屋，“这么晚了，有什么要紧事吗？还是那个叫特灵的学生又赖在你们家了？你坐吧，有什么事尽管告诉我。”

爱尔兹彼嘉感激地望着她，回答道：

“就是那个叫特灵的学生，他现在和我的叔叔一起待在阁楼上，而且他们一整晚都在说些奇怪的话，这让我害怕极了。”

“那你今晚就在我这儿睡吧。”

约瑟夫的母亲一直都很喜欢爱尔兹彼嘉，“我也不喜欢那个叫特灵的年轻人，他看上去很可怕，像是揣着一肚子的坏主意……我真没想到你叔叔竟然和那样的人成了朋友，这真让人失望。”

“谢谢你，母亲。”

爱尔兹彼嘉犹豫了一下，终于说出了自己真正的心事，“其实真正让我害怕的是我叔叔，自从那次盗窃案后，他就像变了一个人，古怪极了。”

“我能感觉到一些，他现在对你不好吗？”

“他还是对我很好，但是和从前不一样。以前他总乐意带我四处逛逛，和我聊天说笑，但是现在他好像不再在乎我了，有时我跟他说话，他就像没听到一样。而且他总说些奇怪的话，我觉得他好像被什么东西蛊惑了，我敢断定那不是什么好东西。”

“这一定是那个叫特灵的学生搞的鬼。”

“我也这样想。他们总是在阁楼待一整晚，我偶尔可以听见他们走动的声音，但大部分时间上面总是很安静。”

约瑟夫的母亲怜惜地看着她，说：

“可怜的孩子，就把这里当作你的家吧，只要你想，随时都可以过来……其实我最近也有些烦恼，约瑟夫的父亲自从丢了东西后便一直闷闷不乐，明明还有这么多让人高兴的事……男人为什么总是执着于已经失去的东西，又去奢求不属于他们的东西呢？”

爱尔兹彼嘉赞同极了：

“我和叔叔从前过得多么快乐啊，可是现在，他完全被特灵迷惑住了。”

“你知道他们在阁楼做些什么吗？”

“我不知道，可是那一定不是什么好事。”

爱尔兹彼嘉忍不住哆嗦了一下，道：“今天晚上他们一直在说奇怪的话，我听见叔叔一直在重复，‘这会把我逼疯的’，然后特灵劝他，‘这不会把你怎样的，我们再试一次’，然后楼上安静一阵，叔叔继续说些奇怪的疯话。我太害怕了，所以过来找您。”

“这真是太可怕了。”

“就在我下楼前，我听见特灵用命令仆人的语气同我叔叔说话，而叔叔非但没有生气，还表现得毕恭毕敬。真是太奇怪了，后来，特灵让叔叔找法子把黄铜变成黄金，他重复了好多遍，叔叔都没有回答他。我想，叔叔可能在忙自己的事。”

“我听说很多人都尝试过将金属变成黄金，可没有一个人得到好下场。”

约瑟夫的母亲不想让爱尔兹彼嘉难过，于是，便转移了话题。

“这些天夜里，约瑟夫和他的父亲都不在，我很寂寞，只有听到塔楼的号声，才能确认他们平安无事。”

“我也是这样的。而且我知道约瑟夫负责凌晨两点的吹奏，我与他有一个秘密约定，所以每次我都会认真听他吹奏。”

“你可真是个好孩子。这么说你每晚都是两点才睡觉吗？”

“只要有约瑟夫的吹奏，我就会等到那时候。”

“那你能分辨出约瑟夫和他父亲吹奏的区别吗？”约瑟夫的母亲亲切地问道。

“一开始很容易分辨出来，后面就慢慢变得困难了，约瑟夫的吹奏水平进步很大呢。”

她们愉快地聊了很久，不知不觉夜已经深了。约瑟夫的母亲在窗下的小沙发上为爱尔兹彼嘉铺床，窗户朝着教堂的方向打开，所以爱尔兹彼嘉可以很清晰地听见塔楼传来的钟声和号声。

两人互道了晚安，爱尔兹彼嘉和衣卧在沙发上，怎么也睡不着觉。

她想起叔叔近来的奇怪举动，又想起其他学生对叔叔的评价，他们说叔叔已经堕落到黑魔法世界，已经走火入魔了。

还有特灵，他本来是叔叔的学生，现在却可以完全控制叔叔，甚至把叔叔当作了实验工具……

在爱尔兹彼嘉的脑海中，炼金术师的身体一会儿变大，一会儿变小，而特灵顶着一个越变越大的南瓜头，最后竟然挡住了太阳。

他们在一起做了很多坏事：从篮子里拿出破鞋变成的蝙蝠；冲到空中抓住一只老鹰大小的鸟，并把它关到阁楼里；将杯子里的不明液体煮得冒泡……

她正在胡思乱想，忽然，窗外传来约瑟夫的号声，已经是凌晨两点了。

那乐声悠扬动听，爱尔兹彼嘉忍不住跟着哼唱起来。等一遍结束后，她满心期待约瑟夫到第二个窗口吹奏第二遍，却忽然注意到对方并没有在休止符的地方停下，而是在多吹奏了三个音符后，才结束整支曲子。

爱尔兹彼嘉吃惊地坐了起来。

她想，也许自己刚刚听错了，等约瑟夫吹第二遍时，她一定要仔细听清楚。

过了一会儿，乐声再次响起。爱尔兹彼嘉全神贯注地听每一个音符，终于确认约瑟夫的确没有在休止符的位置停下，反而多吹了三个音符。

“这怎么可能？难道他吹错了？”

第三遍的乐声被风声掩盖，等到最后一次乐声响起时，爱尔兹彼嘉再一次听到了多出的三个音符。

约瑟夫只在休止符的地方略微停顿一下，然后继续吹奏，好像在说：

“是的，我知道应该在这里停下，但我不能这么做啊！”

爱尔兹彼嘉紧张地跳了起来。

她肯定约瑟夫是故意这么做的，他一定遇到了什么大麻烦。要知道，塔楼上有很大的警钟，只要敲响它，整个城市的人都会惊醒，但约瑟夫却没有这样做，而是隐晦地用号声传递出信号，暗示自己需要帮助。

这是只针对爱尔兹彼嘉一个人的求救信号呀！

爱尔兹彼嘉牢记着两人的约定。

她想，约瑟夫可能已经被人监视了，也有可能被人武力制服了，所以他不能敲钟，只能暗暗地向自己求助。自己一定得马上救他，一刻也不能耽搁！只是，她应该怎么做才好呢？

她不想惊扰约瑟夫的母亲，而叔叔又一直和特灵待在一起，即便她上楼说明情况，也一定会遭到嘲笑与拒绝，叔叔还会要求她马上上床睡觉。这么说，她只能依靠自己的力量。

于是，爱尔兹彼嘉悄悄地打开了房门，从屋子里偷偷溜了出去。

夜已经很深了，街上看起来空无一人，那些恶棍、赌徒和小偷潜伏在阴影里蠢蠢欲动，随时打算抢走人们的钱袋。手无寸铁的爱尔兹彼嘉小声地做完祷告，然后紧贴着墙，想要在墙影的掩护下快步跑到圣安街去。

就在她来到十字路口时，一个男人忽然冲她叫喊起来："你是谁？"

爱尔兹彼嘉吓得不敢回头，拔腿就跑。可是她身后的嘈杂声越来越多，很多流民从街角跑出来追赶她，大声嚷嚷道：

"这是个女的呢。"

"站住！我们交个朋友嘛。"

"嘿，我们不会伤害你的。"

对于这伙人来说，爱尔兹彼嘉这样年轻的小姑娘最对他们的胃口了，他们可以肆无忌惮地恐吓她，从她身上抢走所有的钱币去换酒喝。

他们一直追到了圣安街上，爱尔兹彼嘉气喘吁吁地敲门，祈求杨·苷地可以尽快来开门，否则的话，她一定会被那伙人抓住的。

这时候，杨·苷地正在撰写著作，听到铃声后，他立刻过来开门了。

爱尔兹彼嘉急忙跑进屋，向修士汇报道：

“您好，我是爱尔兹彼嘉·科鲁兹，这里有紧急情况需要您处理，可以烦请您关上门吗？那些人正在追我。”

听后，杨·苷地马上关了门。

他没想到一个小女孩会有这样的勇气，竟然敢在深夜跑来报信，因此，他没有像往常一般去斥责门外的坏人，而是先将爱尔兹彼嘉带到了自己的书房，听她讲述事情的经过。

“你的推测没错，约瑟夫他们肯定遭遇了危险！”

杨·苷地肯定了爱尔兹彼嘉的做法，回答道，“愿上帝保佑他们平安无事，我这就派人去叫守卫，然后跟他们一起去塔楼看看情况。你就待在这里，放心，这儿很安全。”

几分钟后，三十名全副武装的守卫走向了塔楼。他们先发现了被捆在墓地里的塔楼守门人，在帮他松绑后，一行人悄无声息地进入了没上锁的塔楼。

这时候，塔楼里的那伙歹徒已经有些松懈了。

一开始，他们听说彼得打算带人半夜袭击塔楼时，还以为这是什么难事，全都争先恐后地报名，却没有想到彼得的计划太周全，他们没费什么工夫就得手了，简直一点儿也不刺激。因此，在等彼得回来的这段时间里，他们只留了一个人负责看守，其余人要么躺在地上睡觉，要么坐在椅子上打瞌睡。

所以，当守卫们爬上来时，轻而易举地将这伙歹徒绑了起来。约瑟夫蹦蹦跳跳地跟在后面，开心地扑到了父亲怀里。

“父亲，父亲！是爱尔兹彼嘉救了我们！”

约瑟夫激动极了，“她发现我今晚吹的圣歌与以往不同，我没有在休止符的地方停下，而是多吹了三个音符！她听出来了，然后独自在夜里跑去向杨·苷地求救！我刚刚在楼下碰到了修士，他把事情的经过全告诉我了。”

“她是个好孩子，愿上帝赐福于她！”

安德鲁忍不住热泪盈眶，问道：“还有你，我的儿子，你是怎样逃脱的呢？我之前一直很担心……”

“那个人本来押着我往家里走，突然听到了守卫的脚步声，他发现他们是朝塔楼的方向走的，于是丢下我逃跑了。父亲，现在爱尔兹彼嘉还在修士家等我们呢，我得快点过去向她报平安，还要好好感谢她今晚的帮助！”

安德鲁同意了。

约瑟夫快乐地跑出去，紧接着，守卫们也带着歹徒离开了，安德鲁一个人待在房间里，陷入了沉思。

纽扣脸彼得说他是为了塔尔奴夫水晶球来的，难道他在撒谎吗？

如果他手里有水晶球的话，为什么要大费周章地带一队人马来袭击塔楼？

他又何必孤身一人带着约瑟夫去找水晶球？

如果他只是为了报仇的话，大可以一刀结果了他们。可是，如果彼得没有拿到水晶球，那么，自己丢失的宝贝落到谁的手里了呢？

第十三章

塔尔奴夫水晶球的秘密

转眼间到了四月，空气重新变得湿热起来，每天傍晚，橙红的落日挂在山巅之上，将整个城市涂上了一层美丽的绯红色。

科鲁兹依旧每天和特灵一起待在阁楼，激烈地讨论学术问题。

“我要放弃这项实验。”

炼金术师痛苦地抱住头，低声叫喊道：“它对我来说太累了，我已经受够了。现在，我要回头做自己的研究，这项实验实在是太冒险了，我认为，它比较适合敬畏神明的人。”

特灵听后，发出了一阵大笑：

“哈哈，原来你就这么点胆子么，难道你之前和我说的探索未知世界都是骗人的吗？”他见科鲁兹的情绪仍在自己的掌控之下，假意劝道：“听着，我们已经度过最困难的时候了，接下来一切都会往好的方向发展的。难道你想让我们之前的心血白费吗？说实话，你是不是无法承受催眠了？”

炼金术师没有回答他，只是继续把脸埋在手掌中，喃喃自语：

“我好累呀……我真的太累了……”

特灵几乎想破口大骂，好不容易才忍耐下去，然后挤出了一个虚伪的笑容：

“我终于知道为什么我们的实验一直失败了，科鲁兹，你太脆弱了。我在很多人身上做过催眠，他们之后也做了很多实验，从没有人像你一样叫苦喊累的。”

“其实一直以来，让我进入催眠状态的人，并不是你。”

“你说什么？”

特灵震惊地跳起来，追问道：“你与其他人合作了吗？那个人会把我们的秘密宣扬出去吗？来吧，快来告诉我那人的名字，我从来都不知道克拉克夫城还有其他懂得催眠的人。”

他是个狡猾的年轻人，从来都不会对外人吹嘘自己的催眠术。尤其是最近，政府正在严查会黑魔法的人，只要被抓到，他就会遭受诸如鞭笞、驱逐甚至是处死一类的刑罚。

这几个月来，特灵都通过催眠术将炼金术师牢牢地掌握在手里，他一直利用科鲁兹的才华来实行自己的计划。如果这个秘密被第三个人知道的话，他俩都逃不过法律的惩戒。

科鲁兹忽然叫嚷起来：

“那不是人啊！是魔鬼！是可怕的魔鬼！”

“魔鬼？”

特灵下意识重复了一遍，几乎怀疑科鲁兹是否已经疯了。

“是的，魔鬼！我再也受不了了！”

科鲁兹从椅子上跳下来，冲着特灵大喊大叫：“你很聪明，无所不知，连我的研究成果和实验可能产生的后果和原理都一清二楚，但是你肯定不知道我有一个秘密！现在，那个秘密快要把我逼疯了！来，你过来，我给你看样神奇的东西……”

说完，炼金术师便在阁楼中央的位置支起一具三脚架，在上面系好铁链后，又从角落的橱柜里拿出一个黑布包裹，将它端端正正地放在架子上。

“可以了，再来一点光。”

科鲁兹往火盆里撒了一些粉末，一刹那，火焰熊熊升起，整个屋子都被照得透亮。他小心地将黑布揭开，将整个宝贝呈现在特灵眼前。

那是一块纯净透彻的宝石，足有人头大小，顶部流动着五彩斑斓的光。

它没有丝毫人工打磨的痕迹，好似由成千上万的水滴汇聚而成，细看的话，还能看见其中一抹淡蓝色的光彩，以及球中心若隐若现的玫红色。

这份纯粹的美丽摄人心魂，当人看着它时，几乎以为自己正在凝视一片湛蓝的海。

特灵激动得舌尖都在打战：

“上帝啊，这是什么？”

“这是神奇的塔尔奴夫水晶球。”

科鲁兹小声回答。

“神奇的塔尔奴夫水晶球！”

特灵难以置信地重复了一遍，之后，立刻狂喜地叫喊起来：

“神奇的塔尔奴夫水晶球，就是那个在传说中引得无数魔法师和炼金术师疯狂找寻的塔尔奴夫水晶球吗？上帝啊，它怎么会落到你的手上？”

他激动地跳来跳去，满脑子都是如何利用这个宝贝来达成自己的目的。

“我明白你的意思了，当你盯着它的时候，的确会有魔鬼控制你。但是，这是好事啊！”

特灵贪婪地注视着水晶球，就好像濒临渴死的人看见水井一般，“它可以引诱你说出自己知道的一切，这样的话，我们很快就可以解决那个难题了！”

塔尔奴夫水晶球在历史上非常有名，只要人们久久地凝视它，便可以看到截然不同的景象。

除此以外，它还有着无与伦比的色彩和光晕，以及某种难以言喻的魔力。可以说，整个中世纪的魔法师都为它着迷，还有很多科学家因为研究它而渐渐走火入魔，堕落到罪恶的深渊。

“不，我真的受够了！”

科鲁兹神情恍惚，“为了得到它，为了得到它，我甚至已经背叛了自己的灵魂，现在我要将它还给它的主人。它不是什么宝物，而是邪恶的化身，啊，它的背后全是血腥黑暗的历史……”

“你疯了吗？”

特灵气愤地大喊，“你居然想要把它还回去？科鲁兹，你听着，我不管你是用什么手段得到水晶球的，但是你显然不清楚它对我们的作用。哈哈，有了它之后，我们就可以找出‘点金石’的秘密，到那时候，我们再把它还回去也不迟。或者，如果你现在能想得通的话，也可以把它留给我，我也可以……”

“够了，约翰·特灵，闭嘴，我是绝对不会把它留下来给你的！”

炼金术师厉声喝道，“我知道没有人能抵抗它的诱惑，一开始也没打算把这个秘密告诉你，可我实在要被它逼疯了！”

眼见科鲁兹的态度如此坚决，特灵只好装出退让的样子，说：

“那就把它还给失主吧。不过，我们也可以先让它告诉我们‘点金石’的诀窍，这样的话，我们也不用再去看大学里那些狂妄自大的人的脸色了。”

“你说得对，让我们速战速决吧。”

最后，科鲁兹做出了让步，“唉，我已经盯着它太久了。”

特灵露出得逞的笑容。

可是，科鲁兹又说道：

“我很怀疑我们是否能从其中得到想要的秘诀，依我看，这个水晶球只会反映我们的深层意识，而不会像智者一般告诉我们问题的答案。”

“因为长时间地看着它，我的观察力已经不像从前那样敏锐了，不仅如此，我的思绪还会莫名其妙地发生偏移。之前我执着于自己的研究，可现在我再也无法做到这一点，我的灵魂已经被它漂亮的外表所迷惑了。”

听到这里，特灵终于按捺不住自己的好奇心，问道：“你是怎么得到这个水晶球的？”

“不久前，有盗贼闯入这栋房子，最后被我用硝石和火药赶走了。在我用炸药吓唬那个盗贼头领时，他扔下这个水晶球逃跑了。我这才发现楼下的住户居然有这种宝贝，然后把它捡回家了。”

“你是说那个姓科瓦斯基的吹号手一家？”

“是的，不过那不是他们的真名，他们姓察奈特斯基，来自乌克兰。十三世纪时，一个叫安德鲁·察奈特斯基的人带领村民打败了入侵的鞑靼人，从那以后，他们家族就负责保管神奇的塔尔奴夫水晶球。这是塔尔奴夫的国宝，据说，只要人们盯着它，就能了解过去和未来，还能飞翔、隐身，甚至点石成金。”

“在鞑靼人的觊觎下，他们是怎么保管这个水晶球的呢？”

“他们带着它躲到了山里，直到鞑靼人兵败回程后才出来。在那之后，水晶球就成了他们家族的传家宝，只交给嫡长子保管。多年前，乌克兰并入波兰领土，察奈特斯基家的祖先便带着它移居到乌克兰。”

“这是他亲口告诉你的吗？”

“是的，就在水晶球丢失的第二天，他将一切都和盘托出。他以为我知道他的真名和来历。”

“那你之前听说过这个水晶球吗？”

“哪个炼金术师会没听过呢？它从古老的东方来到埃及，在神庙沉睡了几个世纪，直到罗马攻占埃及后，才流落到罗马。再后来，罗马的一位将军为了心爱的女子偷走了它，两人隐居在加力西亚省，并在那里结为夫妻，他们居住的偏僻村庄，就是后来的塔尔奴夫。后来，随着时代更迭，水晶球到了察奈特斯基家族手里，那附近也聚集了一大堆占星师、魔法师和炼金术师，不过其中大部分都是骗子。”

“如果像你这么说的话，有很多人在觊觎这个水晶球咯？”

“不是的，大多数人并不知道它背后的秘密。直到一个仆人从察奈特斯基家逃走，将这个秘密宣扬开来，才有人开始寻找这颗水晶球，安德鲁也因此失去了自己在乌克兰的财产，流落到克拉克夫城。我不知道背后人的身份，只能肯定他一定是个大人物。”

“那些歹徒没有供出幕后人的信息吗？”

“我猜他们也不知道底细。”

“察奈特斯基一家有怀疑过你吗？”

“并没有，他们视我为最好的朋友，正因为如此，我才更觉得羞愧。”

“可是要不是你，那群歹人早就拿着水晶球逃掉了。”

“我也这样安慰过自己，可是这并不能成为我脱罪的借口。因为我的确做了卑劣的事，像个小偷一样把它从安德鲁先生家偷走了。”

“你做得很好！”

特灵兴奋地站起来，命令道：“现在让我们来试试最伟大的实验吧。你将椅子拉到我给你做催眠时的位置，专心盯着它看，快些！”

炼金术师照他说的做了。时间一点一点过去，特灵看见科鲁兹的坐姿有了些许变化，最后，他的身体变得僵直，眼睛瞪得大大的，呼吸也逐渐变得深长，显然已经进入了催眠状态。

“听着。”

特灵大声命令道。

“我听着。”

科鲁兹的回复让特灵有些窃喜。在这之前，他担心科鲁兹被水晶球催眠后不会回答自己的问题，没想到对方不仅这么快进入了深度催眠状态，还能如往常一样回答自己的提问。

“告诉我你都看到了什么。”

“我看到了一个房间，里面有很多火盆和玻璃仪器，还有一些冒着火苗的液体在其中流动，旁边有一个冒烟的铜水壶。”

“里面有人在工作吗？”

科鲁兹的意识在这间屋子里游走了一圈，然后缓缓回答了问题：

“没有。”

“有没有手抄本？”

科鲁兹又陷入了漫长的搜索中，过了一会儿后，才回答道：

“有一卷羊皮纸。”

“把它拿起来。”

“很烫。”

“别大惊小怪的，一点疼痛而已，忍过去就好。”

“好的，我拿到它了。”

科鲁兹刻板地说着。他的手如同真的被灼烧过一样，红肿了一大片。

“上面写了什么？”

“这里的东西既神奇又危险，所有人都梦寐以求。”

这句话是用拉丁语说的。

过了好一会儿，科鲁兹继续说道：

“这上面还有一些东西。”

“读出来。”

“恐怕不行，都是符号。”

“那就把它们写下来。”

特灵往科鲁兹膝盖上放了一块写字板，然后看见炼金术师写下一行字：$\theta+\Delta+B$。

“还有吗？”

“匪夷所思的事情并不意味着错误，真理往往隐藏在谎言之下。”

“不要写这种没有意义的话，还有其他公式吗？”

科鲁兹刻板地念道：

“按照古人的说法，将火盆加热，放入一满盆硫黄会散发出刺鼻的气味，等气味消失后浇上水银，会形成一种黑色的固体。把这种固体放在密闭容器中加热，它会变成红色的液体。”

“还有吗？”

“这有七个章节，包括《翠玉录》和《赫尔莫斯总全》。”

“不要那些空洞的理论，我要‘点金石’的配方！”

科鲁兹麻木地往下念：

“往上面硫黄与水银的混合物中加入印度硝石，然后放入黄铜，就可以变成黄金。”

“我们马上试试。”

特灵在阁楼里找齐了实验所需的材料，然后将它们堆在一起，想要变出黄金。

由于他对炼金术一无所知，他完全不知道这几样东西放在一起有多危险，而科鲁兹又正处于催眠状态，没有办法阻止他的愚蠢行为。

更糟糕的是，这个“秘方”其实只是科鲁兹平日的研究发现，至于最后添加硝石的建议，则是他在疲惫和虚弱的身体状态下产生的幻觉。

这会儿，特灵正激动地看科鲁兹做实验。

前面的结果与炼金术师在幻觉中看到的分毫不差，直到最后一步，炼金术师往里面加硝石后，本能地拉着他往后退了一步。

“轰”的一声，火盆中发出巨响，整个屋子都被这场爆炸波及，短短几秒内，阁楼已经陷入一片火海。

“快拿着水晶球下楼！”

特灵尖声咒骂着，迅速冲到楼下去找人救火。科鲁兹神志不清地跟在他身后，如醉汉一般摇摇晃晃。

璀璨的水晶球藏在他的袖子里，很快便和他一起消失在黑夜中。

一阵风吹过，火苗蹿到邻近的屋顶上，逐渐蔓延开来。短短十几分钟后，整个克拉克夫城都陷入火海，岌岌可危。

第十四章

克拉克夫城的灾难

大火迅速蔓延，很快，整个克拉克夫城如同燃烧的蚂蚁窝一般。人们惊慌失措地从房子里逃出来，只有少数人比较镇定，留在屋里拿着水管和水桶灭火。

发现火情后，巡夜人立刻向区长报告，区长派了消防队前来救火。同时，高塔上的吹号手及时拉响警报，叫醒了睡梦中的居民。大家纷纷拎着水桶往屋顶上泼水，还有人拿着斧头和铁锹在房子周围挖防火沟。

很快，街上堆满了家具、衣物和私人用品——这是慌乱的居民从窗户上扔下来的——人们如无头苍蝇一般四处乱窜。在一片混乱中，消防队长带人往水车里灌满水，然后拉到火灾现场救火，等水用光后再立刻折回去拉。但是，最近的蓄水池离这里也有八千米远，时间实在是来不及。

眼看着整个克拉克夫大学都要化为灰烬，强壮的消防员们冲过来，用钩子和斧头拆掉了可能着火的建筑物，以防止火势继续蔓延。在圣弗朗西斯科教堂、圣安街和布拉克也分别有一队消防员待命，但是大火很快突破了强拆范围，他们不得不撤退。

在这骚乱中，约瑟夫的母亲、约瑟夫、爱尔兹彼嘉和沃芙正努力从鸽街上堆积如山的物品中挤出一条路来。火灾发生时，他们都在睡觉，直到大火包围后才醒过来，因此，他们什么也来不及带走，只能狼狈地从屋子里逃出去。

约瑟夫走在最前头。他本来想要找到逃离火海的捷径，但是大火跳跃着前进，蔓延得毫无规律，他没有办法判断逃跑的方向。爱尔兹彼嘉心神不宁地跟在后面，担心自己的叔叔遭遇了不测：他们之前逃跑时经过了阁楼，里面浓烟滚滚，要是有人在里面的话，他是不可能活下来的。约瑟夫的母亲也很焦虑，她想快些和自己的丈夫碰面，免得他担忧。

他们随着人群到了地势较高的莱尼柯街。在这里，火势蔓延的速度慢了很多，三个街区的灾民们全都挤在一

起，又哭又喊，为自己损失的财产而痛哭。还有人背着伤者从火墙里冲出来，直到确认安全后才稍作休息。

约瑟夫也累极了，恨不能立刻四仰八叉地躺在地上睡一觉，可是他们还得继续赶路。他打算先将母亲和爱尔兹彼嘉安顿在父亲工作的塔楼上休息，自己再跟着队伍一起回来救火。

他们走了几步，忽然听见一阵急促的马蹄声。“是卫兵！”约瑟夫叫喊起来，“是城堡的卫兵过来帮忙了！”

他猜对了。没一会儿，一大队全副武装的骑兵进入莱尼柯街维持秩序，而一同赶来的步兵和工匠则拿着工具拆除火场周围的建筑物。攻城炮也被运输过来，将已经着火的房子全都轰倒。

约瑟夫他们继续向着圣母玛利亚教堂的方向前进。在经过布匹交易中心时，他们遇见了一队押送犯人的卫兵。

“是个小偷。”

“上帝呀，世界上竟然会有这样坏的人！”约瑟夫的母亲惊呼道，“他居然在这个时候偷大家的东西。”

等到犯人再走近一些后，约瑟夫一下子认出了他：“母亲，那家伙是那天带人袭击我们家的纽扣脸彼得呀！我们来这儿的第一天碰见的人就是他，把我和父亲绑在塔楼上的人也是他……你看，他这会儿挣扎得多厉害啊，可他别想再逃走，这回抓他的人可是皇室卫兵！母亲，你看到他们头盔上的皇家徽章没有？他们的制服也很华丽哩。”

果然，卫兵们并没有在审理一般犯人的市政府停留，而是直接去了瓦威尔山上的皇家宫殿。

终于，约瑟夫他们在教堂见到了急得满头大汗的安德鲁。在他们依次相互拥抱后，安德鲁对约瑟夫吩咐道：“我要你留在这里替我吹小号。灾区现在需要人手，我得过去帮忙救火……对了，我没有看到科鲁兹，他一定是在和大家一起救火吧。”

“我不知道，父亲。我们逃出来前，曾站在阁楼外喊了他很多声，可是一直没有人回应，里面全是浓烟，我不得不带着母亲和爱尔兹彼嘉离开。”

“那我更得去找他了。科鲁兹是我们的大恩人，即使他不幸遇难，我也要找到他的遗体才行。上帝保佑，我希望他平安无事。”

之后，安德鲁从约瑟夫口中听到了彼得被捕的消息，不禁有些紧张。他担心彼得的同伙还在城里，恐怕他们可能会伤害自己的妻儿。但是他转念一想，眼下灾情紧急，就算约瑟夫他们不幸遇袭，也很容易发出求救信号。

想到这里，安德鲁选择了和其他人一起救火。他和数千英勇的男人一起整整忙活了一夜，直到火苗彻底被扑灭，大地全部淋湿后，才顶着太阳回到了塔楼。

爱尔兹彼嘉和约瑟夫的母亲睡在吹号手的床上，约瑟夫坐在窗边，眺望着冒烟的大学校区。这场大火摧毁了三分之一的城市，尤其克拉克夫城的旧城区，更是一片废墟。

“父亲，火都灭掉了吗？”

“是的，很多人都因此无家可归。”安德鲁回答道，“而且，我也没有找到科鲁兹，他好像和烟雾一起消失了。”

“哦，可怜的爱尔兹彼嘉！”

床上的爱尔兹彼嘉似乎听到了父子俩的对话，小声地哼了一声。

“我想他可能被困在阁楼里了，那里是整场火灾的着火点。”

这时，杨·苷地带着一个人走了过来。那人刚从大火中逃出来，衣服被烧焦了，脸也被熏得黑漆漆的，双手藏在袍子里，身形看起来有几分眼熟。

“安德鲁，我在街上找到科鲁兹了，”杨·苷地轻声说道，在看到安德鲁吃惊的神色后，他赶紧解释道，“他好像受到了什么刺激，有些神志不清。不过，他手上的东西是我们都感兴趣的。”

在父子俩不可置信的注视中，炼金术师忽然大笑起来："哈哈哈，约翰·特灵，整个城市被烧了个精光，我们还是没有找到金子，现在你要怎么办呢？"他左右张望了一下，追问道，"他人呢？他为什么不回答我？难道他葬身火海了吗？约翰·特灵，你看，加入硝石后的火焰是紫色的，你快看啊！看我给你带来了什么。"

说着，他掀开了黑袍，露出了自己藏了一晚上的东西：那正是安德鲁丢失的塔尔奴夫水晶球！

"它怎么会在这里？"安德鲁忍不住大叫起来，一下子将妻子和爱尔兹彼嘉全吵醒了。

"这是世上最珍贵的宝物，我发誓要用生命去保护的宝物！我的祖先世世代代守护它，要将它交到国王手里，自从它被偷走后，我的心都碎了……它怎么会在这里？难道是你从那个暴徒手中抢来的吗？还是你在废墟中发现了它？或者……"他忽然明白过来，惊讶得说不出话来。

就在这时，科鲁兹紧紧抓住了安德鲁的胳膊，疯狂地叫喊道：

"它是被恶魔诅咒的东西！上面血迹斑斑，看呐，有多少人因为它死掉了！它引诱人们堕落，将好人逼迫到邪恶的道路上，我不想要它了！我不要它了！"

说完，他便晕倒在地。

杨·苷地赶紧将他扶起来，爱尔兹彼嘉也从房间里跑出来，不停地亲吻叔叔的脸颊。

安德鲁捡起水晶球，紧紧地将它拥入怀中。“感谢上帝的仁慈，现在我终于可以履行自己的誓言，把它交给国王陛下了。这个水晶球已经带来太多的灾祸，关于它的秘密也已经传开，我的家族再也无法安全地保管它，只有皇宫最合适了。”

“那你便尽快准备吧，”杨·苷地很赞同安德鲁的做法，“两天后，国王陛下将回到克拉克夫城，到那时候，我们马上去觐见他。”

第十五章

觐见国王

从很早以前，约瑟夫便对瓦威尔山上的皇宫充满向往。

在传说里，这里是英雄克拉斯的居住地，他曾在维斯图拉河下的一个洞穴中斩杀了巨龙，人们便在瓦威尔山上定居，建设了许多高耸入云的钟塔和尖顶建筑。几个世纪过去，这些坚实的石基岿然不动，慢慢变成民众觐见国王时等待的地方。

这天早上，一行人朝着皇宫的方向前进。

一路上，约瑟夫都在为自己即将见到国王而激动，而炼金术师跟在队尾，动作像梦游一般僵硬。

“那天早上，我看见他在街道的废墟中游荡。”

杨·苷地说，“他在最危险的地方待了一晚上，却毫发无损，我真不知道他是如何躲开那些倒塌的房梁的……不过，他好像受了什么刺激，一直神色恍惚。”

“那您觉得我们带着他去见国王合适吗？”

安德鲁从一开始就不赞成修士要带上科鲁兹的建议。

“当然，他会帮到我们的。”

杨·苷地回答道，“我们要对国王讲清事情的真相，有他在场的话，会更有说服力一些。而且这对科鲁兹也有好处，也许他在那里就能清醒一些了，即使没有，他又不会伤人，带过去也没关系的。”

科鲁兹的手和脸都已经擦洗干净，破烂的长袍上罩了一件长外套，看起来总算体面了些。爱尔兹彼嘉和约瑟夫的母亲一起留在塔楼中休息，由白班的吹号手保护他们的安全。

一路上，他们看见许多居民在废墟中忙碌，还有两拨卫兵前来盘问。

不过，卫兵们一认出领头人是大好人杨·苷地后，便立刻放行了。约瑟夫再次认识到杨·苷地受人尊敬的程度，尽管如此，他本人却没有流露出任何骄傲的神色，依旧如此谦逊。

终于，他们站在宫殿通道前，等待卫兵通报。那位卫兵很快跑回来，向杨·苷地致意，说：“只要是您带来的人，国王陛下都会接见。只是陛下现在正在会客，需要你们稍等片刻。”

一行人又等了约十五分钟，一个身穿蓝衣的官员出来通告，国王陛下宣杨·苷地和他的朋友觐见。他们穿过宽敞的中庭，走过大理石台阶，再经过阳台，进入一间小招待室。

这间招待室一般只用来召见贵宾，杨·苷地便是其中一位。

国王坐在高背椅子上，椅背顶端刻有一顶金色皇冠，乍一看，还以为它戴在国王的头上。

他身穿宽大的紫色衣袍，衣服上绣有华丽的花纹，头顶戴着一顶两端微翘的紫色软帽，看起来十分平易近人。身披盔甲的侍卫站在两侧，神色严肃，一动不动。

在杨·苷地上前亲吻国王的手背后，国王问道：

“你们究竟是为何而来？这些都是在大火中受灾的灾民吗？”

“是的，陛下，不过我们有更重要的事情要禀报。”

杨·苷地答道，“这位是安德鲁·察奈特斯基，来自乌克兰，他们因为受人迫害而不得不背井离乡，要向您汇报一个大秘密。”

国王立刻意识到了事情的严重性，问道：

“我了解乌克兰的情况，那儿的日子确实不好过。你们到底遇到了什么事呢？”

“在回答这个问题之前，陛下，请允许我献上一样宝物。”

安德鲁站起身，从外袍中拿出了塔尔奴夫水晶球。

一刹那，水晶球在阳光下发出七彩的光芒。每个人都被它的美丽吸引了，国王甚至激动地跳下了椅子，从安德鲁手中接过了宝贝。

“它真是太美丽了，你从哪里找到这样神奇的宝石的？”

国王好奇地问道。

“说来话长，我只知道这么多年塔尔奴夫水晶球一直都由我的家族保管。”

“那你为什么要把它交给我呢？这已经抵得过皇宫里一半的宝贝了。”

安德鲁回答：

“这是最妥当的做法。两百多年来，我的家族一直守护着它，发誓只要它的藏身之地不被人发现，便要一直守护下去。因为我们的家族力量不足以与不怀好意的人对抗，在水晶球被发现后，把它交给您才是最安全的。”

“那它的隐藏地点是怎么暴露的呢？在你回答这个问题之前，我更想知道，你的家族为什么要把它藏起来。”

“这件事说来话长，如果您实在想知道的话，我稍后会以书面形式向您汇报。简单地说，在鞑靼人侵略塔尔奴夫时，村民将水晶球交付给我的祖先保管，因为在它美丽的外表下隐藏着邪恶的力量，能蛊惑人走向黑暗，我的祖先发誓用生命守护它，绝不让它落入坏人之手。等到鞑靼人退兵后，塔尔奴夫得以重建，而水晶球继续由我的家族保管。”

“那消息是怎么走漏的呢？”

“为了掩人耳目，我一直将水晶球藏在南瓜里，为了让南瓜保存得更久，我用油来擦拭南瓜皮。这件事被我的一个鞑靼仆人看见了，他的好奇心很重，我想他应该从那时候便开始暗中监视我，然后发现了南瓜的秘密。一年后，他离开了我，没过几个月，我的家受到了袭击，他一定将消息卖给了鞑靼人。”

“那他知道水晶球的魔力吗？”

“我不确定，但是几乎所有的鞑靼人和哥萨克人都听过塔尔奴夫水晶球的传说，他们做梦都想得到它。”

“你这美丽又邪恶的宝贝。”

国王盯着水晶球喃喃自语，“要是你能说话的话，就说一说那些想占有你的人的罪行吧。”

安德鲁跪在国王面前，恳求道：

“陛下，请您收下这颗水晶球。它已经带来了太多的灾难，为此，我的家族早已不堪重负。我的祖父专门为它修了一条地道，方便全家遇袭时逃跑，只有一家之主才知道地道的具体位置。它是那样美丽，但是它发出的每一道光都是邪恶的化身，我对它厌恶极了，却不得不用生命保护它。现在，诺言已经实现，我终于可以卸下这个重担了。”

国王依旧凝视着水晶球，忽然，他打了个冷战，好像在里面看到了什么可怕的东西。

“我的年纪也大了。”安德鲁继续恳求，“在乌克兰经营的财产也因为它化为灰烬。”他告诉国王自己一家是如何从乌克兰逃亡，又是如何在克拉克夫城中几次遇袭，而这一切，都和纽扣脸彼得有关。

“我不知道他是谁派来的，但是我的儿子告诉我，陛下的卫队在街上逮捕了彼得。也许您可以派人把他带上来，好弄清背后主使的身份。”

国王在听到彼得的名字后，忽然激动起来。

“我知道这个人，带他上来！根据我得到的消息，彼得是一场叛乱的主谋，为此，我将他的画像分发到卫兵手中，重金悬赏他的人头。昨天晚上，我的卫兵在火场上逮捕了他。”

没一会儿，两名卫兵便押着彼得过来了。

他的手脚上都挂着镣铐，每走一步便发出哐当的声响，可他的神色却十分傲慢，不仅不肯向国王跪拜行礼，还恶狠狠地瞪了安德鲁和炼金术师一眼。

两名卫兵强迫彼得跪下后，国王对他说：

“你将以背叛波兰共和国的名义被起诉，你还有什么要说的吗？”

“是谁要起诉我？”

“乌克兰政府。除此以外，你还被指控其他的罪名，比如恶意损坏他人财产，在塔楼中袭击吹号手，每一条都是死罪。”

很快，彼得便意识到自己的处境不妙。他转转眼珠，想出了一个坏主意。

“我可以用一个秘密来换取我的性命。”

“你认为我会对你的秘密感兴趣？”

“当然，因为乌克兰有危险。”

听到这里，国王陷入了沉思。

他并不想饶恕这个罪大恶极的人，但是乌克兰当下的环境混乱，他最信任的密探也无法从其中探到有用的情报，所以他必须从彼得口中得到这个重要情报。

“我并不想动杀戮，你的性命也不足以弥补你的罪行，不如用你知道的情报来为国家做些贡献。”国王对彼得说道，“不过你必须说实话，否则的话，我会立刻判你绞刑，明白吗？”

“明白。”

彼得吓得脸色发白。

他并不是一个怕死的人，否则也不会三番两次地折返克拉克夫城，但是一想到绞刑的残忍程度，他就忍不住双腿发软，决心把这个秘密说出来。

反正水晶球也已经落到了国王手上，他不可能再拿到了。

“我还有一个请求，陛下，请您替我保密，否则我一定会小命不保的啊。”

“我答应你。”

彼得恭敬地回答道：

“我在乌克兰的名号是‘恐怖巴丹’，专替一些大人物做坏事。两年前的三月，一位权贵把我派去莫斯科，说有一位王公贵族要见我。等到了那里后我才知道，要见我的是莫斯科大公国最得势的一凡大公，瞎眼的瓦西里二世的儿子，据说他有吞并邻国的野心。”

国王听得眼睛发亮，脸色却逐渐阴沉起来。

“这些我都知道，我要的是能证明他野心的证据！一凡，这个狼子野心的家伙！”

他气愤地在房间里走来走去，等火气平息后，才转向彼得，命令他继续说下去。

“他的野心很大，甚至想要将自己的势力扩张到境外的格鲁吉亚和立陶宛。可是这两个地方的人心向波兰，他便打算攻击在乌克兰的波兰人。有人建议他可以借助鞑靼人的力量，他便派人去打探鞑靼人出兵的条件，于是得到了令人意想不到的答复。”

“什么？”

“他说，只要一凡将神奇的塔尔奴夫水晶球交给他，他便出兵攻打在乌克兰的波兰人。”

“他怎么会知道水晶球的秘密？”

“在东方，每个人都听过塔尔奴夫水晶球的传说。据说，它不仅有着美丽的外表，还有着强大的魔力，可以预知未来，还可以找到宝藏，甚至可以和死去的人谈话。因此，鞑靼人一直在找它。”

“那么，鞑靼人以失踪的水晶球为条件，是不是说明他们无意攻打乌克兰？”

“事实并非如此，陛下。不久之前，他家的一个仆人来到鞑靼人的领地。”彼得指了指安德鲁说，“水晶球藏在乌克兰的一个村庄里。这个消息很快传到鞑靼可汗的耳中，而我从莫斯科到了鞑靼人的地方，也听说了这件事，并把它告诉了一凡。随后，一凡便答应了鞑靼人的要求。”

“这么说，你是他们的中间人？一凡派你从安德鲁手上抢夺水晶球？”

看着彼得毫不愧疚地承认这件事，国王愤怒极了：“你竟然为了自己的一己私欲，便害得别人家破人亡，简直罪大恶极！这么多年来，我一直致力于维护国家和平，想让我的子民安居乐业，可是有些人就是要挑起争端。难道波兰受到的苦难还不够多吗？至于你，还有什么要说的？”

“没有了，”彼得垂头丧气地回答，“我只希望您遵守您的诺言，放我一条生路。要不是这个人捣鬼，”他恨恨地指着角落里神情呆滞的炼金术师，“我早就带着水晶球远走高飞了。”

国王没有理会他，对身边的侍卫命令道：“将他带走，黎明时将他交给弗洛瑞安门的卫兵，让他们在犯人走出国境后再解下镣铐。要是他再敢踏足波兰一步，就立刻执行绞刑。”

很快，彼得被押了下去。国王从自己的脖子上取下一条精美的项链，亲手戴在安德鲁身上。“这是你信守承诺的象征，之后，我会补偿你所有的财产。这么多年来，你的家族为国家背负着如此重大的使命，要是水晶球被坏人夺取，也许整个乌克兰早已沦陷，在此，我对你的家族表示十二分的敬意，等到适当的时机，我会给你更正式的奖励。”

会面到了结束的时候，众人全都跪拜在国王面前。国王弯腰，像是想要将他们扶起来，却转身捡起了地上的水晶球。之后，他一直呆呆地凝望着这个美丽又邪恶的东西，好像被催眠一般，完全忘记了周围人的存在。

第十六章
水晶球的归宿

就在国王凝视水晶球时，科鲁兹忽然从自己的位置上跳起来，一下子从国王手中抢走了水晶球，然后发了狂似的奔出门外。

“快拦住他！”杨·苷地叫道，“他会做傻事的。”

可是，科鲁兹跑得像风一样快，再加上他是杨·苷地带来的尊贵客人，守卫们并没有拦住他。等国王他们冲到阳台上，命令侍卫追捕科鲁兹时，他已经冲出了庭院，向着瓦威尔山脚下的维斯图拉河跑去。

约瑟夫、安德鲁和侍卫追在炼金术师后面，而国王和杨·苷地则跑到临河的城堡上眺望科鲁兹的行踪。

炼金术师站在河边，与追捕他的人对峙，威胁说如果他们再上前一步，自己就跳到河里去。安德鲁等人顿时不敢轻举妄动，等待谈判的时机。

在一片静默中，科鲁兹披头散发地站在风中，长袍破烂不堪，手中的水晶球却散发出耀眼的光芒。

“听着！”他尖声叫道，“我就是从安德鲁手上偷走水晶球的家伙！从见到它的第一眼起，我就昏了头脑，以为自己能在它的帮助下名垂青史，结果我走了歪路，彻底堕落。因此，我不能再留着它祸害世人了。”

他喘着粗气，继续说道：

“还有特灵，他曾经是我的学生，我们都知道看水晶球太久会让人神志不清，可是谁也没有罢手。他想让我在其中找到‘点金石’的秘方，结果呢？我们一无所获，还把整个克拉克夫城烧了个精光。就因为我们的贪婪和愚蠢，人们才过上流离失所、饥寒交迫的日子。”

说到这里，他羞愧地低下头，发出痛苦的哀嚎。

“别这样，科鲁兹，我们都是你的朋友。”杨·苷地劝道。

“我不配做你们的朋友！”炼金术师忽然抬起头，说道，“既然这东西只能带来灾祸，甚至让两个国家发起战争，那么让我为它做个了断吧。”

话音刚落，他便用力将水晶球抛了出去。

水晶球在空中划过一道闪亮的弧线，如一颗熠熠生辉的流星一般，重重地坠入湍急的河水中。水面溅起一圈圈涟漪，没一会儿，便恢复了平静，好像什么也没有发生过。

现场的人们陷入了沉默。几分钟后，杨·苷地提出了建议："我们一起来做祷告吧。"

众人一起跪了下来。等到祷告结束后，他们一起扶着虚弱的炼金术师回到塔楼，让约瑟夫的母亲和爱尔兹彼嘉一起照顾他。

国王再次召见了杨·苷地。他们在一起讨论了很久，终于决定就让塔尔奴夫水晶球永远沉睡在维斯图拉河底。从古至今，它带来的灾祸太多了，只有维斯图拉河底才是它安全的归宿。

几天后，炼金术师恢复了神智，可他将自己走火入魔时做的错事全忘光了。安德鲁拿到了足够的赔偿金，带着一家人和爱尔兹彼嘉、科鲁兹一起回到了乌克兰，重建家园。至于约翰·特灵，他在那场大火后逃回了德国，再也没有回到克拉克夫城。几年后，他靠着法术在村子里有了些名气，有传言说，他在借助魔鬼的力量。

约瑟夫继续在克拉克夫城深造，直到二十二岁才回到乌克兰，继承了父亲的产业。不久之后，他迎娶了儿时的玩伴爱尔兹彼嘉，过上了幸福的生活。

几个世纪里，不断有人试图找到水晶球的下落，可它一直完好地沉睡在维斯图拉河底的某个角落，直到今天。

好了，故事讲完了。当号声响起时，让我们像每个波兰人一样在心中默念：愿上帝保佑波兰！愿全人类进入和平时代！